The One Minute Entrepreneur™

榮登美國亞馬遜商業類暢銷書排行榜
《一分鐘經理人》系列全球超過20種語言銷售超過千萬

一分鐘創業家

創業成功的第一關鍵是現金、現金與現金，
第二是授權給員工，讓他覺得自己是負責人，
第三是關心你的顧客。
是的，就這麼簡單！但你做得到嗎？

真正的智慧
不需長篇大論
一分鐘
就讓你找到創業能量

一分鐘經理人管理大師

肯・布蘭查（Ken Blanchard）｜唐・哈森（Don Hutson）｜伊森・威利斯（Ethan Willis） 共同合著

丁惠民-譯

CONTENTS

推薦序

成功創業的三大基本要素

有些東西是非常基本的，卻總是被我們忽略。

在創業時，我們往往一味地追求願景，卻忘記了「現實」的重要性。我們不斷地想到顧客，卻忽略了自己的員工。我們不斷的揮霍生命，卻遺忘了「死亡」這件事。你和我都經常忽略這些最基本的東西，這就是為什麼我這麼喜歡這本小書的緣故，因為書中的故事讓我想起了創業的最基本元素。

在研究創業管理多年後，有一點是我非常確信的：「創業」這件事情說起來簡單，但做起來並不容易。在美國，不管是哪一年，都有接近一百萬人創業，但令人遺憾的是，其中至少有四十%的人在第一年內就遭逢失敗的命運；而高達八十%的創業者則會在五年內退出市場；若把時間再拉長，則有高達九十六%的企業無法慶祝成立十周年。

這些企業之所以失敗的主要原因之一，是因為創辦人是技術專業人員，這些人對某些事情非常擅長，而且十分樂於做這些事。他們可能是電子工程師、文字工作者、攝影師或電腦程式設計人員，這些人所犯的致命錯誤，就是一直做自己擅長的事情，卻忽略了經營企業的其它重要部分。

《一分鐘創業家》可以幫助你避免犯下這些致命的錯誤。本書透過一個讀來輕鬆的、有啟發意義的小故事，**作者布蘭查與哈森點出了三個基本要素，任何想要成功創業的人士，都必須掌握這三大要素。**

第一個關鍵要素是財務。許多創業者之所以黯然退出市場，是因為他們不知道如何管理「錢」。他們的費用比營業額高、他們不善於催收帳款，也沒有真正意識到企業成功與否所必須仰賴的，就是現金、現金、現金。

第二個攸關成功創業的關鍵要素是「人」。你必須授權給其他人，以便讓他們可以負起責任，而不是由你自己事必躬親。當你的員工被授權時，就會覺得自己是負責人，並且會特別主動積極地關照客戶。

從這裡可以延伸到作者布蘭查與哈森的**第三個成功創業關鍵要素，就是關心你的顧客**。就算你是全世界最棒的技術專家，如果不關心你的顧客，就永遠不可能開創成功的事業。

《一分鐘創業家》可以幫助你了解一件事：雖然「成功」這兩個字說來簡單，但並不容易做到，不過只要專注在幾個基本要素上，就能大幅提升成功的機率，並讓你在樂在其中。

——麥可・葛伯（Michael Gerber）

暢銷書《The E-Myth Revisited》作者，並著有《實現你的創業夢》（*Awakening the Entrepreneur Within*）等書。

作者序

人生智慧不需長篇大論

雖然《一分鐘創業家》是一個虛構的故事，但故事中提出建言的許多人卻都確有其人。

為什麼我們要寫出這些人的名字呢？因為今日我們的成功要歸功於這些人的指引，他們在對的時間走進我們的生命，並提出對的建言——當然，有部分則要歸功於我們願意傾聽的智慧。

為什麼是《一分鐘創業家》？

因為我們發現，我們曾經吸取的最佳建言，其長度都不超過一分鐘；換句話說，真正的人生智慧並不需要長篇大論，反而蘊藏在簡短且意義深遠的幾句話裡。這也許就是「一分鐘經理人（One Minute Manager）」系列之所以能常踞暢銷書排行榜達二十五年以上的原因。

——伊森·威利斯（Ethan Willis）

作者序
讓世界變得更好

這本書要獻給數以千計的、真正的創業家，這些人勇敢地面對無數的障礙，不論環境是好是壞都堅持不懈，進而開創出成功的企業。而這些公司，就是自由經濟的骨幹。

另外，我們也要特別將這本書獻給兩位先驅者，分別是：常常說「真的太棒了」的查理．瓊斯（Charlie "Tremendous" Jones）與雪爾登．包樂斯（Sheldon Bowles，暢銷書《共好（*Gung Ho!*）》作者）。

多年以來，查理．瓊斯一直是我們兩個人的人生導師。他曾經做過上千次的一對一個別指導，也對數以百萬計的聽眾發表過精采絕倫的演說，我們從中看見他對世界——包括對我們的人生——的影響力。他對書籍的愛好——因為愛書，所以他在四十幾年前創辦了一家Executive Books公司——感動過全球許多人士。他個人從事的工作，再加上他不斷鼓勵閱讀的努力，幫助了無數的人提升生活與達成夢想。他對事業的熱情，激發了許多創業者，促使他們在追求開創成功企業的路上不斷前行。他的精神是如此崇高昂揚，他的熱情無遠弗屆、他的友情深厚長遠，而他的領導風範更是深入人心。

雪爾登·包樂斯是一位非凡的創業家，也是《紐約時報》與《商業週刊》的暢銷書作者，並且還是一位知名的講者。他初入職場時，擔任新聞記者，報導過加拿大、日本、美國與歐洲等地的消息，他曾在許多媒體任職過，如Toronto Globe and Mail、加拿大廣播公司（Canadian Broadcasting Corporation）、時代雜誌（Time）、英國泰晤士報（the Times），以及Winnipeg Free Press。他離開新聞界後轉往企業界，並進入加拿大皇家證券公司（Royal Canadian Securities ,Ltd.），之後升任該公司的總監與副總經理。

雪爾登後來和參議員道格拉斯・艾佛瑞特（Douglas Everett）一起成立了多摩汽油公司（Domo Gasoline Corporation, Ltd.），並擔任該公司執行長達十五年之久——道格拉斯則擔任該公司的總裁——他將多摩經營成為加拿大最大的獨立汽油零售業者，並擁有數百名的員工。當加拿大的汽油業紛紛採用自助式加油服務時，多摩卻反其道而行，導入「跳上前為您服務（Jump to the Pump）」的經營模式，並贏得市場的肯定與讚譽。包樂斯希望將這段傳奇性的經驗寫下來，就和肯・布蘭查合著了暢銷書《顧客也瘋狂（*Raving Fans*）》。

離開多摩後，雪爾登和三位合夥人一起將一家小工廠精密金屬公司（Precision Metalcraft Inc.）經營成一家身價達數百萬加幣的公司。這個經驗促使他和肯・布蘭查又再合寫了第二本書《共好（*Gung Ho!*）》，因為他們兩人意識到，如果沒有士氣高昂的、願意付出與承擔的、「共好」的員工，就不可能有瘋狂的顧客。

雪爾登在著作上的成功，引領他開創了第三個事業，就是成為一位講師，透過演說分享他的經驗與價值。雪爾登渴望能幫助其他創業者，這個渴望促使他再和肯・布蘭查合著了另外兩本書：《賺錢大師（*Big Bucks!*）》與《擊掌哲學：英雄退位，團隊出場（*High Five!*）》。

在此，我們要感謝查理與雪爾登，因為他們的正面影響力，讓我們的世界變得更好。我們知道，你們的影響力將透過《一分鐘創業家》這本書傳播並帶來改變。

——肯・布蘭查（Ken Blanchard）與唐・哈森（Don Hutson）

第一章
建立正確的價值觀

裘德．麥考利從小就夢想能擁有自己的事業。不過，在高中還沒畢業時，他差一點就斷送了人生的大好前途。

裘德是一個好孩子，但卻不是什麼特別突出的學生。提到裘德，大家只會覺得他的高中生涯過得很不錯。他滿受歡迎的，在一支常勝足球隊裡踢邊鋒（Tight end）的位置，並且有一位漂亮女友。不過，這麼美好的高中生涯差一點就誤入歧途。

事情發生的那一晚，是一個和平常沒什麼兩樣的星期六晚上。約會完後，裘德載女朋友回家，然後再開車到葛迪倫餐廳和一班哥兒們聚會。閒聊了一陣後，有些人開始感到無聊，就決定開車到附近的砂石坑，並在那裡喝上幾瓶啤酒。

綽號「賽車手」的傑瑞．尼爾森邀請裘德坐他的車。裘德和傑瑞並不算是很熟的朋友，不過裘德愛車，所以傑瑞的新Mustang的高性能已經夠有吸引力了。

在限速四十五公里的霍麥斯路上，傑瑞不負他的「賽車手」綽號的本色，將車速飆到七十五公里，隨之而來的，就是看到閃個不停的警車藍色車燈。傑瑞被攔下來，當警官走到車旁時，傑瑞拿出了他的駕駛執照與證件，看起來一副膽小怯懦的樣子。

「下車，小朋友。」警官說。

傑瑞遵命下車。裘德還坐在車裡，想著是否也應該下車。在訓示了傑瑞一頓並開了一張超速罰單後，警官側身探頭看看坐在車裡的裘德。

「你呢？是不是老跟著你的兄弟開快車？」警官問。

「呃，我，呃……」裘德開口回話，不過在他還說不出一句完整的句子前，那位警官就將注意力轉移到駕駛座下面的一個小袋子。

「那是什麼東西？」警官問。

「我不知道。」裘德說。

「最好讓我看一下。」警官說。他打開車門並拿出那個小袋子。「看起來這應該是大麻。」他看著傑瑞，然後又把視線轉回到裘德身上。「我想我們應該一起回警察局，然後打電話通知你們的父母。」

等一下！警官剛剛說的是「大麻」嗎？裘德聽到自己撲通撲通的心跳，怎麼會發生這種事？他從來沒碰過毒品！他的父母親會怎麼想？如果他因此得去坐牢的話，其他人會怎麼看？他該怎樣為自己辯白？

* * *

在驅車前往警局的靜默長路上，裘德與傑瑞兩個人的腦海中，不斷想著各種可能的結果。到了警局後，一切程序都按規定辦理，裘德發現那晚沒有任何人會聽他們的任何辯白或解釋。他打了一通電話通知家人後，就被關進拘留室中，於是，兩人開始討論要如何才能離開警察局。

關在隔壁的孩子聽到他們倆的對話後出聲：「兄弟們，這裡可不是在演電視劇。只要進來這裡就得待上一整個晚上，不管你是誰，做過什麼或沒做過什麼，全都一樣！」聽起來對方像是這裡的「常客」，裘德只好無奈地躺回自己的床上。

裘德的父親隔天一大早就到警局了。在聽了父親的嚴厲訓示後，裘德覺得自己像個罪犯。

「爸爸，」裘德說：「我發誓我真的沒有碰過任何毒品，也完全不知道傑瑞有抽大麻，對於發生的這一切，我真的感到很抱歉。」

裘德的父親瑞金諾．麥考利是一個非常嚴格且有強烈正義感的人。他說：

「裘德，我當然相信你。不過接下來我要告訴你一些事情，希望你一輩子都不要忘記。你有在聽嗎？」

第一章
建立正確的價值觀

「我在聽，爸爸。」裘德說。

裘德的父親注視著他的眼睛說：「當我在你這個年紀時，我的叔叔常常會提醒我：**我們會變成什麼樣的人，只要看看和自己最親密的五個朋友就知道了**。絕對不要低估你選擇與什麼樣的人為伍的重要性。而且要記住，一旦有機會向某些特別聰明或成功的人學習時，一定要把握住這些人傳授給你的寶貴經驗與智慧。」

對裘德來說，這是人生中非常重要的一刻。雖然在當時他並沒有意識到，但這應該是他人生中第一次學習到深具意義的人生智慧。這個事件讓他知道，他是多麼的幸運，有一個如此關愛自己的父親；同時，這個事件也讓他了解到，如果他能和有價值且成功的人在一起，就可以提升自我。

* * *

星期一下午的足球隊練習結束後，奈普教練把裘德叫進他的辦公室中。裘德已經知道教練為什麼要找他，因此帶著忐忑的心情走進教練的辦公室。

「把門關上，然後坐下吧！」教練說。

裘德無言地關上門，然後坐進椅子裡。

「聽說你這個周末過得不太好？」教練說：「有些事情我想提醒你，而且希望你能記住。我曾經做過的、最困難的一個決定，就是是否應該接下這個教練工作，還是繼續留在我待了八年的公司裡。最後，我放棄了原來那份應該有不錯發展的工作，選擇到這裡來上課，因為我覺得作為一個教練，我可以做出更多的改變與貢獻。」

「裘德，大家都很喜歡你，你是一個很有教養的學生，而且是相當優秀的足球員，每個老師都認為你可以做得更好。你打算什麼時候回到你的本份，而不是窩在砂石坑中喝啤酒？」

裘德覺得自己的胃好像被人踢了一腳，連吞口水都感到困難。

奈普教練接著說：「你希望獲得成功的人生，對嗎？」

第一章
建立正確的價值觀

「是的。」裘德回答。

「那麼就讓這次的事件成為你人生的轉捩點吧！你來自一個家教很好的家庭，上次我太太和我一起重新裝修房子時，有機會和你父親開的木材供應公司往來，整個過程都讓我們覺得很滿意。裘德，相信這個周末你已經發現自己的不足之處。現在，我想讓你看樣東西。」

教練打開了一個抽屜，並拿出一本封面是用藍色亞麻布做成的、看得出歲月磨損痕跡的筆記本。

「當年我要出外就讀大學時，我的媽媽給了我這個。她告訴我要將人生發生的重要事情摘要記錄下來，並且用星號標示出我從中學到的重要教訓，這樣一來，我回家時就可以根據這些紀錄，和她分享一切。一開始我很排斥這樣做，不過沒過多久我就接受了，我不只在裡面記錄我答應母親要記下的事，還記錄我喜歡的話、我學到的東西，以及我做重要決策時的相關思維與考量。為了要讓自己更能記住這些東西，我把它們精簡到只需要花不到一分鐘的時間就能看完。而這個習慣改變了我的一生。」

教練抽出了一本新的、乾淨的筆記本，並把它拿給裘德。「試試看。如果你想要開創自己的人生，就用它來記錄一路上聽到的智慧思想與話語。」

裘德很尊敬這位教練，並且對於教練願意花時間和他說這番話而深受感動。那天，他離開奈普教練的辦公室時，下定決心要改變自己的人生並回到邁向成功的道路上。

那天晚上，在熄燈就寢之前，他拿出那本新筆記本，並用一分鐘的時間記下這個禮拜他從父親與教練那邊聽到的建言。他想起教練告訴他應該力求簡短扼要，因此他決定將這些紀錄命名為「**一分鐘智慧**」。

* * *

事件發生後的下一個周末，裘德參加了星期天的家庭聚會，和祖父母共進晚

第一章
建立正確的價值觀

餐。家人並沒有將裘德的「周末荒唐事件」全部告訴祖母，只是稍微帶過。祖母以前是學校老師，還曾經擔任過人事主管，因此沒有什麼事情瞞得了她，也沒有任何事能逃過她的法眼。當其他人都在客廳時，祖母把裘德帶到廚房裡一談。

「裘德，你就快要上大學了，」祖母說：「可以預見的是，你將會遇到許多不同的人與不同的想法，也會遇到十字路口——站在你必須做出選擇的點上。你必須盡力做出最好的、經過仔細思考的選擇。通常，你在年輕時所做的選擇，比你年紀大時所做出的決定更重要，因為有更多的機會等在這些選擇的前面。」

「我會盡最大努力的。」裘德說。

「還有，**讓正直、愛、誠實，以及有意義的工作這類的價值，引導你前行，因為好的人生是建立在這些基礎之上**。將你的價值寫下來，並且每天都要讀一讀。然後，當你的良知告訴你衝撞了某個價值時，就喊停。把它們記下來，然後回到正確的路徑上。」她暫停了一下，好讓這些話可以進入裘德的心裡。

她接下去說：「這些價值將是你最重要的東西之一。不要浪費任何一個你可以做對的事的機會。永遠都不要用欺騙的手段來獲取勝利。**記住，『什麼是對的』比『什麼人是對的』更加重要**。如果你想要擁有成功與平衡的人生，那麼能幫助你達到這個理想的，就是你的價值。」

對裘德來說，祖母的慈愛、關心與身為長者的觀點，引導他找到人生的方向——而且效果甚至比父母親還大。那天晚上，他迫不及待地拿起筆記本，並且將祖母的智慧話語加進他的「一分鐘智慧」裡。

一分鐘智慧

*和你欣賞的，且能從他們身上學到東西的人為伍。

*將你讀到、聽到與學到的智慧記在筆記本中，並將其萃取成「一分鐘智

慧」。

*好的人生是建立在強而有力的、穩固的價值上，諸如：正直、愛、誠實、有意義的工作。

*永遠不要用欺騙的手段獲得勝利。

*「什麼是對的」比「什麼人是對的」更加重要。

第二章
領受智慧建言

在接下來的幾年裡，裘德用功讀書，於曼菲斯大學就讀大四時，他的成績很優異，在此同時，他還在一家服飾店擔任兼職銷售人員。他的很多朋友都接受了大公司的工作機會，不過裘德還無法確定自己接下來要做些什麼。他喜歡從事銷售工作，但一直以來，擁有自己的公司始終是他夢寐以求的事。對於自己在服飾店擔任兼職銷售人員，卻能賺取比其他人兼差打工高出兩倍到三倍的收入，裘德相當引以為傲。

艾佛瑞．通寧博士是裘德的行銷學老師，他安排裘德與其他幾位主修商學管理的學生，定期參加曼菲斯行銷經理人組織（Sales and Marketing Executives of Memphis）的晚餐聚會，在這個場合中，學生們有機會聽到行銷專業從業人員的演說。

當通寧博士鼓勵裘德將這些演說的精華摘要記錄下來時，裘德笑了笑。他已經有三本寫滿關鍵思維的筆記本，而且迫不及待地想要捉住每個機會，把這些演說者的想法記錄下來。

在裘德的生命中，通寧博士出現的正是時候。他不僅是裘德的教授，同時也是裘德的引導者。他知道裘德對銷售事業很有熱情，所以鼓勵他去參加一個研討會，在這個研討會中，全國銷售論壇（National Sales Forum）的總經理迪爾克・嘉納（Dirk Gardner）將會上台演說。

*　　*　　*

裘德抵達研討會會場時，心中並沒有抱持太大的期望。到學校裡講銷售的那些講師，在他聽來，大部分的內容都乏善可陳。不過當嘉納一上台開口講話時，裘德就知道這和以前他聽過的那些演說截然不同。在短短的幾分鐘之內，所有的

第二章
領受智慧建言

聽眾就被嘉納的演講深深吸引，這是裘德從來沒有看過或聽過的。當嘉納闡述有關自我激勵、成功銷售，以及自由經濟的內涵等重點時，裘德的脊椎感到一陣戰慄。他覺得在他的一生中，從來沒有過這樣的悸動。

這場研討會一共有四位知名的講師，分別是：肯尼士．麥克法蘭（Kenneth McFarland）、比爾．高夫（Bill Gove，知名講師）、查理．瓊斯（Charlie Jones，暢銷書作者與知名講師），以及吉格．金克拉（Zig Ziglar，成功學大師與暢銷書作者）。裘德從來沒有聽過這幾個人的演說，不過他覺得既然第一個上台的嘉納已經讓人如此驚豔，其他人一定會更好，這可能是非常精采的一天。

第一個上台做專題演講的是查理．瓊斯，整個人洋溢著發自內心的熱情。猜猜看，他最喜歡講的一句話是什麼——沒錯，就是「真的太棒了」。由於他常常將這幾個字掛在嘴邊，以至於幾年前人們開始稱他為「太棒了」瓊斯。

瓊斯對著台下專注聽講的聽眾說：「**唯有你認識的人和讀過的書能讓你變得與眾不同，如果沒有這些人與書，那麼五年之後的你，將會和現在一模一樣。**」

他接著強調：「如果你想要成功，就應該建立與發展一個書庫。納入對你有幫助的書籍與文學巨著！當你找到你所欣賞的內容、價值，以及某些作家的風格後，就應該全部讀完這些作者的每一本著作。」

裘德深愛閱讀，所以這對他不是問題。他記了下來並提醒自己，要到學校的圖書館找看看有哪些好書。

下一個上場的是吉格・金克拉。這個人到底是怎樣成名的呢？裘德心想。金克拉的演說充滿了活力與美國南方式的幽默，他說：「**只要你幫助夠多的人得到他們想要的事物，你就可以得到所有你想要的東西。**」這句話觸動了裘德的心弦。他深信，當你銷售的是某些你認為有價值的東西時，未來就會有更多的銷售機會。

在晚餐休息時間，裘德到大廳裡耐心地排隊購買瓊斯的一本著作。瓊斯在書上親筆簽名，並和裘德談了幾分鐘。裘德可以完全地感受到瓊斯的誠懇與溫暖，他向瓊斯要了名片，並詢問日後是否可以和他聯繫。出乎裘德的意料之外，瓊斯點頭答應。

第三個上台的是比爾．高夫，他是「全國講師學會（National Speakers Association）」的第一任總經理。高夫是一位銷售專家，不過他讓群眾發笑的能力足以讓他成為喜劇泰斗。他提到自己寒傖的早年生活：「我生長在一個窩在一間小房子的大家庭裡，直到我結婚的那一天，才有自己的房間睡！」這段話惹得台下的聽眾大笑。

高夫與聽眾分享他的智慧：「每個人都喜歡買東西，不過都很討厭被推銷。讓你的雙耳引導你！提出問題、評估需求、發展關係。如果你真的能做好這幾點，人們肯定會狂敲你的門跟你買東西。」

這和裘德之前聽過的高壓銷售戰略與緊迫釘人式的成交手法截然不同。高夫認為，對那些方法正確的人來說，銷售是一種偉大且令人引以為傲的專業。事實上，每一次當我們開口說話時，就等於是在銷售我們的想法，那為什麼不讓自己精於此道呢？

最後一位演講者是肯尼士・麥克法蘭博士，大家稱他為「美國講師長（Dean of American Speakers）」。麥克法蘭對美國自由經濟體系的願景讓裘德深受啟發。在演講中，麥克法蘭看著台下的聽眾，視線不偏不倚地落在裘德身上。他動動食指並以輕柔的聲音說：「來這兒吧，讓我告訴你一些事。」當時裘德幾乎就要從椅子上站起身來，不過他馬上發現到，原來，所有的聽眾全都準備傾身而起。

麥克法蘭說：「**如果你的方法正確的話，沒有人能擋住你的成功之路。只有當機會與準備同時具備時，成功才會出現。記住這點，你將能擁有一個高成就的人生。**」

裘德不停地做筆記，甚至忽略了寫太多字的腰痠背痛。他的好奇心已經轉化成一種熱烈的渴望，他想要徹底發揮自己的天賦。雖然裘德一直都夢想能和父親一樣，擁有屬於自己的成功事業，但現在他意識到，必須先發展必要的技能與經驗。他就像一塊海綿一樣，不停吸收這些講師釋放出的智慧建言。

麥克法蘭的演講在觀眾的如雷掌聲下結束。懷抱著對熱情的全新認知，裘德

第二章
領受智慧建言

直接走去找這場研討會的主辦人，迪爾克．嘉納。

當他走向嘉納時，一顆心撲通撲通地跳著。他想，沒有必要拐彎抹角吧？

「嘉納先生，」他說：「我是裘德．麥考利，是通寧博士的學生。六個禮拜後就會從曼菲斯大學畢業了，我想要為你工作。這個研討會是我有生以來最棒的體驗之一，我認為我可以幫你推銷這個活動給其他人。」

嘉納說：「裘德，我很高興聽到你欣賞我們所做的事，讓我們明天共進早餐吧！」

*　*　*

裘德比約定的時間提早十分鐘到，並且要了一個安靜的座位。沒多久，嘉納走了進來，臉上帶著大大的笑容。

「你提早到了，」他一面入座一面說：「你已經有了一個好的開始。」

在享用咖啡與煎蛋時，裘德一面回答嘉納提出的有關他的背景、技能與信念等問題。當他們談得越多時，嘉納的問題就越深入。

「裘德，你如何處理拒絕與失敗？」

「當然，我的注意力會放在成功上，不過我想對於拒絕，我可以處理得不錯。」裘德說。

「經過逆境的淬鍊，我們才能變得夠強。」嘉納說：「你必須學會的、最大的一個銷售教訓，就是：**『拒絕』是成功的過程中必要的一環。**」

「為什麼會這樣呢？」裘德問。

「不管你多麼厲害，一定都會經歷許多的失敗。最優秀的銷售專業人員是那些雖遇到拒絕，卻能立刻充滿信心迎向下一個銷售機會的人，他們不會因之前的拒絕而心生膽怯，反而會做出比之前更好的銷售簡報。最棒的銷售人員知道成功的關鍵，不在於你能說多少長篇大論，而在於你願意且能夠承受多少拒絕！你必須走過這些拒絕，才能贏得享受成功的權利。」

「我從來沒有從這個觀點思考過『拒絕』這件事，不過我很想將你的這番話

第二章
領受智慧建言

付諸實行。」裘德說。

嘉納問：「你是否願意到許多你從沒到過的地方出差，那裡的人你一個也不認識，但仍要滿懷熱情地進行銷售？」

「我願意。」裘德回答。

有生以來，裘德第一次感到一絲緊張。他想起服飾店的老闆總是說：「重要的不是你知道什麼，而是你認識哪些人。」

裘德問嘉納對上述這句話有何看法。

「這句話是老生常談了，」嘉納回答：「你認識什麼人可能是重要的，不過更重要的，是誰認識你，以及他們認為你是怎樣的一個人——你的信心、你的專業，以及你是否相信你所銷售的東西。」

裘德快速地把重點記下來。他意識到學習是不斷累積的。當從其他知識來源吸取到更多資訊時，就可以有效取代以前學到的東西。當寫好所有的筆記時，他微笑了起來。嘉納確實帶給他許多智慧珠璣。此時，嘉納請服務生多加一點咖啡。

「很高興知道你對我們的研討會事業有興趣，也很高興知道昨天的活動讓你受益良多。」嘉納說：「不過你必須回到現實。你無法想像，要請所有的人報名參加是多麼具有挑戰性的事。」

「當你向人們介紹活動內容時，」嘉納繼續說：「他們是根據你的說明內容來評估這場演講將會提供些什麼，他們只能想像那一天會是什麼樣子，你的責任不是快快推銷，而是必須引發他們的好奇心，並帶起他們的參與意願。聽完這些，你還有興趣嗎？」

「是的。」裘德說。

「你是可以被激勵的人嗎？」

「沒錯！」裘德回答。

「可以被訓練嗎？」

「當然！」

「裘德，這聽起來像是你想要追求的事業嗎？」

裘德微笑了：「如果這是問我願不願意接受這個工作機會，那麼答案是肯定的！」

「如果你照著我的話去做，我相信你一定會成功。如果你承諾你會努力工作並遵從我的指示，我很願意帶領你走入銷售事業。」

在內心深處，裘德知道這不只是一份工作，而是即將展開的未來。他將成為一位依佣金計酬的約聘人員。他知道這是一個磨練，他會好好把握住這個機會！

一分鐘智慧

*唯有透過你讀過的書與認識的人，否則年復一年，你不會有任何改變。

＊如果你幫助其他人得到他想要的東西，你就能得到人生中想要的東西。

＊讓雙耳引導你。

＊唯有機會與準備同時具備，成功才會出現。

＊重要的不是你認識哪些人，而是誰認識你，以及他們認為你是怎樣的人。

＊當你感受到你的命運正受到影響並有所改變時，務必把握機會！

第三章

開始想像美好的人生

裘德的推銷工作，是由兩個銷售流程所組成。他先打電話給一個銷售組織，和主管談一談，並試著看看有沒有機會在該組織的銷售會議上安排半個小時的簡報，然後他會在會議上做一個簡單的報告，讓在座者可以知道即將在當地舉辦的研討會有多好，並讓聽眾有機會預先報名。裘德的佣金就是根據報名人數加以計算的。

嘉納是聰明人，由於他聘請的新進銷售人員的薪酬都直接採佣金基礎計算，因此對他來說幾乎沒有什麼損失。對於自己挑選銷售人員的眼光，嘉納深具信心，並覺得自己可以找到優秀者。由於銷售人員做不到業績就得餓肚皮，所以形成一個具高度激勵效果的團隊。同時，嘉納也承諾提供所有必要的協助給業務員，以幫助他們獲致成功。

* * *

前兩個禮拜，裘德打了一堆電話，但不知道為什麼，這些努力並沒有轉化為實際的成果。他雖然有滿腔熱情，但這個工作並沒有如他所預期般展翅高飛。他開始意識到自己的能力並不夠好。

沒有好的導師，再優秀的人才也會遭逢失敗的命運，因此嘉納開始緊密地對裘德做一對一的指導。

「裘德，」他說：「發現自己的能力不夠好並不是一件壞事，甚至是一件好事。有了這樣的自覺，我們才會承認自己並非萬事通。是這樣的自覺，讓我們想要更加努力，因為更加努力，所以驅動我們學習與成長。」

「那麼，我要怎樣才能更加努力？」裘德問。

「記住，在得到每一次的『YES』前，你可能得承受八到十次的『NO』，你必須了解這個數字的背景。如果你用心觀察與改善這個數字，這個數字就會對你有所幫助。就如同我最欣賞的管理大師之一彼得．杜拉克說的：『如果你能加以評估與衡量，就能加以管理。』」

「謝謝，」裘德說：「你的話讓我有一些更明確的方向——我要開始評估我的失敗數字了。」

這可說是裘德有生以來得到的最好教訓之一。他緊盯著他的數字並即時做出改善與回應。任何時間，他都能精確地掌握潛在客戶成為實際購買者的轉換率。他始終都記得父親的建言：**要把握機會向自己欣賞的人學習**。嘉納就是這樣的人。

裘德努力地落實嘉納所提供的建言，並不斷改善他的銷售簡報內容與呈現方式。他深信這兩樣東西再加上客戶拜訪，就能決定他是否會成功，以及最後能否開展屬於自己的事業。

* * *

經過四個月的持續努力工作後，裘德並沒有賺到很多錢。他原本的想法是：只要面帶笑容、待人和善，並且樂於幫助他人，就可以成功地把東西銷售出去。現在，他得學會真正的市場到底是怎樣運作的。他不斷地抽掉一些過於天真浪漫的熱情、專注在焦點上，終於開始出現了一些進展。不過到了年底時，比起自己就讀大學時的大多數同學，他的收入還是比較少。這是份辛苦的工作，還必須面對一些生活上的壓力。裘德發現，要從一個天真的學生蛻變成有生產力的專業銷售人員，並不是件容易的事。

下一場的大型研討會，將於一個月後在費城舉行。裘德拿出了「太棒了」瓊斯的名片並動手撥了電話。他心裡想著，這位大名鼎鼎的講師不知是否還記得他，並且願意在研討會之前和他共進一餐。

「我當然記得你，年輕人。」瓊斯的聲音在電話那頭響起：「我很高興你打電話給我，你已經走在成功的路上囉——一起吃個飯吧。」

在研討會開始的前一天，裘德與瓊斯在一家餐廳裡碰面，裘德知道瓊斯是個大忙人，因此對於他的願意撥冗共進晚餐非常感激，所以當兩個人一坐下來時，裘德就立刻談正事。

「嘿，慢一點。」瓊斯說：「正事我們後面再談，先讓我對你有多一點的認識吧。」

於是裘德開始談他的生活、希望，以及他渴望成就他人的夢想與熱情，另外，他也提到他的長期目標就是建立自己的事業。

瓊斯回應說：「裘德，你現在的位置是很讓人羨慕的，因為你同時可以學到銷售經驗與表達技巧。在這個行業裡，你將會學到很多東西。你的未來可以和天一樣高。」

瓊斯的話攪動了裘德的希望。做為一位剛進入職場的新鮮人，他當然相信自己的未來可以和天一樣高，但是過去幾個月的遭遇卻讓他的夢想漸漸消退。近來受到的一連串挫折已經動搖了他的信心。他的心中已沒有信念、希望與樂觀，因為全被恐懼、負面思考與懷疑自我給塞滿了。

瓊斯說：「我可以看見疑惑與擔憂就寫在你的臉上。不要灰心，這是成為一個成功的企業人士的必經過程，而你才剛開始出發而已。記住，不論你想要開創什麼樣的事業——不管是銷售業或服務業，想開一家乾洗店、健康食品店，或是開一家資訊科技公司——當你學會並精通這個行業的基本元素與模式後，你的恐懼就會消失了。」

裘德知道瓊斯是對的，裘德鼓起勇氣提出一個他想了好幾個禮拜的、有點大膽的問題：「你願意當我的人生導師嗎？嘉納是我在銷售技巧上的老師，但我希望你能帶給我更寬廣的人生與經營視野。我想要成長，而你是值得我學習的典範之一。」

瓊斯笑開了嘴：「你通過了第一個測試。除非你自己親自開口，否則人生導師是不會出現的。既然我已經在這裡了，我想我們就把這件事確定下來吧！」

第三章
開始想像美好的人生

「謝謝你，」裘德說：「真的很謝謝你的大方賜教。」

「這叫做『回饋』，」瓊斯說：「如果沒有那些人生導師的話，我也不會是今天的我。裘德，我已成為你的人生導師之一，不過，有些事情是你應該知道的：我們不會有太多的時間聚在一起，不過我可以將許多資訊濃縮在一分鐘裡。」

「你這種說法很有意思，」裘德帶著微笑回應：「有一位老教練教我，每天應該抽出一分鐘的時間記下重要的事情。我已經記滿好幾本筆記本了。我把這些筆記稱為『一分鐘智慧』，因為我學到的重要的事情，通常只要短短的幾句話就能消化完，而非長篇大論。」

「這真是太棒了！」瓊斯興高采烈地說：「那我們有一個很好的開始。現在你必須答應我一件事：你必須和我一起努力。很久以前我就學會一件事：要成為一位有效率的導師，先要有充滿熱情的學生。我認為閱讀是非常重要的。影響你最大的，是你讀過的書與認識的人。我要你承諾一件事：你要成為熱愛閱讀的人。這並不是指你要閱讀大量的書，而是指你會深入地閱讀並加以理解。我有好幾位文學上的導師，你也應該要有。你必須每個禮拜都讀書，做得到嗎？」

「一定做得到。」裘德說。他原本就喜歡看書，所以這點對他而言並不難。

「另外，我希望你能花一點時間，將我分享給你的事物分享給其他人。幫助別人與受人幫助同樣重要。」瓊斯說：「你願意嗎？」

「我願意。」裘德說。

「很好。」瓊斯說：「只要你實現與尊重這些承諾，就能從我的指導中學得更多東西。」

* * *

兩個人又花了幾分鐘的時間，談一下有關裘德在銷售研討會與報名人數上的挑戰後，瓊斯用下面這段充滿智慧的話語，為當天的討論畫下句點。

「每次當你與客戶見面前，一定要先振奮自己。要讓自己每一次都有最好的表現。你就要站上台了，所以要做最好的演出！當你將活力與說服力放入你的簡

第三章
開始想像美好的人生

報中時，整個傳達的訊息就會獲得提升。優秀的銷售人員會盡所有的努力，讓每一次都變成最好。」

裘德想到最近他遇到的所有拒絕與失敗：「在這種情形下，要怎樣振奮自己？」他問。

「好問題。」瓊斯回答：「當我還是全職的銷售人員時，我都會想像當我和對方簽下合約後，雙方是如何高興地握手，而且客戶的臉上還掛著大大的笑容。現在我主要從事演說的工作，不過我還是會做類似的想像。我會想像在演說結束時，現場的聽眾全都會站起身來，熱情並熱烈地為我鼓掌。」

「許多針對奧林匹克運動員做的研究顯示，」瓊斯繼續說：「那些最有機會贏得獎牌的選手，通常是那些——在賽前——想像自己率先跑過終點線並贏得比賽的人。」

「多棒的一種概念。」裘德說。他露出微笑，並意識到「太棒了」瓊斯一定會是一位很棒的導師。

一分鐘智慧

＊體會到自己不夠好時，將會開啟你的學習之門，並讓你在專業領域上有所成長。

＊關心與注意你的評量依據，就能得到收穫。

＊要建立成功的事業前，你必須先掌握與精通基本元素。

＊要發揮導師的效用，自己必須先成為一位有熱情且承諾投入的學生。

＊在事件發生之前，先在腦海中描繪出你想要的結果。

＊不管是銷售或任何的事業中，你都要站在台上，所以要盡力做最好的演出。

第四章
我該創業嗎？

在全國銷售論壇工作了三年之後，裘德有如在馬柵後揚蹄，迫不及待地想上跑道贏得賽局的賽馬一樣。他學到了非常重要的一項技能——如何銷售。他做得很好，生活也過得滿寬裕的。但裘德還有更大的野心，他想要的不只於此，他覺得有一股力量驅動他開創自己的事業。他很感謝嘉納為他做的一切，但他可以預見，如果一直為他工作，等於不進則退；然而，裘德擔心自己會失敗。他知道在他之前的成千上萬個創業者——其中包括嘉納在內——都曾面臨過相同的疑問與迷惘。裘德不確定自己是否足以承擔創業的風險。

於是，他打電話問瓊斯的建議。

「你想要創業的念頭是擋不住的，」瓊斯說：「這是你多年以來的夢想。但最大的問題是：你想要發展怎樣的事業？既是偉大的創業者，同時也是作家的雪爾登．包樂斯說過：**當你想要開創事業時，必須要配合自己的熱情**。雪爾登將其稱之為『樂在工作的測驗』。你最喜歡做的是什麼？如果你只是為了賺錢而創業，而不是為了要滿足心中的熱情，你將會失敗。如果你不喜歡你做的事情，一定不會投入足夠的時間把它做好。」

「裘德，」瓊斯繼續說：「你在全國銷售論壇中所做的事，哪些是你真的喜歡的？」

「我喜歡做的是激勵與激發別人，」裘德回答：「我透過說話或簡報做到這點。從技術面來看，我是銷售人員，不過我認為我的演說能力是我最佳的銷售資產，因為這是我最喜歡做的事。當我和客戶面對面簡報我們的課程時，通常都能順利成交。人們說我是一個優秀的溝通者。我曾經到其它單位做過演說，主題是『你想要從事銷售嗎？』內容主要是談我跟從嘉納的工作經驗中學到的所有銷售知識。不過我之所以喜歡這個演說，與銷售並沒有關係，而是因為它是一種正面的激勵——包括自我激勵——而人們會因此而振奮。」

「當你站在聽眾面前時，你有什麼感覺？」

「充滿能量！我常常必須注意時間，不然會說過了頭。我真的很喜歡這件事，所以我的夢想是開創自己的演說事業，這聽起來可能有點瘋狂。」

「裘德，我不認為你是瘋狂的，每個事業都是從一個夢想開始萌芽。夢想越大，潛力就越大。這就是我成為講師的原因，因為我想要幫助其他人，而且我寧願銷售我自己，也不想推銷其他人或其它產品。」

這正是裘德需要聽到的，「我希望人們說的是『裘德．麥考利與他的夥伴們』。」裘德驕傲地說。

聽到裘德的話，瓊斯笑了起來：「我再給你一點建議。當你還沒有在其它地方有些演說成績之前，不要先辭掉你現在的工作。這是我從雪爾登那裡學到的第二件事。你必須找到願意為你的熱情付錢的人。雪爾登將其稱之為『目的檢驗』。有些時候，賺錢確實比滿足自己的樂趣重要。因此你必須自問這個問題：

有沒有人願意給錢讓你去做你喜愛的事？你可能必須花一點時間開發出幾個人們願意付錢去聽，並可以從中學到東西的演講內容。如果沒人願意付錢聽你演講，那你擁有的只是一種嗜好，而非事業。我可以在淋浴時盡情高唱，不過如果我以歌手為業的話，我的妻子和我將會潦倒街頭。」

「依你的建議，接下來我該怎麼做？」裘德問。

「首先，加入Toastmasters協會。在你住的地方一定有分會。會員會舉辦早餐會，並讓每個人都有機會發表簡短的演說並觀察聽眾的反應。這是一個很棒的組織，你可以學到很多東西。」

「第二件要做的，是看看下個月的第二個禮拜，你能不能安排一點時間，因為我想要帶你去擔任全國講師協會研討會的來賓。他們很喜歡認識有興趣加入這個事業的人。你將有機會與全國的一些優秀講師進行交流。」

「好，一言為定！」裘德說。

第四章
我該創業嗎？

一分鐘智慧

＊企圖心是驅動人生發生改變的燃料。

＊確認你對於做哪些事情有熱情，想辦法多做一點。

＊不要害怕自己的夢想過大。

＊除非你已經做出一些成績，否則不要辭掉原本的工作。

＊如果沒有人願意付錢讓你做你喜愛的事，那麼你有的只是一種嗜好，而非事業。

第五章
人生最重要的夥伴

一個月後，裘德搭機飛往奧蘭多，參加瓊斯提到的全國講師協會年會。當他抵達會場時，發現整個空間裡都是充滿活力的交談聲。他發現會場中有好幾位他仰慕多年的知名作家與講師，包括：丹尼斯．魏特利（Denis Waitley）、博恩．崔西（Brain Tracy）、史蒂芬．柯維（Stephen Covey）、哈維．麥凱（Harvey Mackey）、派屈克．藍奇歐尼（Patrick Lencioni），心跳不覺為之加快。

他的視線在會場中搜尋，終於看見瓊斯正在和一位身著俐落套裝、面容迷人的年輕女士談話。

「裘德，」瓊斯裂開嘴笑：「讓我介紹泰莉．亞薇堤給你認識，她在克蘭多產業機構擔任教育訓練總監，而且是一位很棒的講師。」

「嗨，」泰莉說，並伸出她的手：「很高興認識你。」泰莉那對犀利的藍眼睛似乎能直接看穿裘德，她的笑容則融化了裘德的心。

「這是我的榮幸，」裘德說，並與泰莉握手致意。他覺得自己一下子就深受泰莉的吸引，因此趕快提醒自己應該將焦點放在原本來到這裡的目的，也就是開創自己的演說事業。他到此的目的是要追尋人生的最愛——他的事業，不應該隨意談戀愛，他應該將所有的注意力放在培養技能與開創事業上，而且要一直朝著這個目標前進。

不過，雖然他在會場中認識了很多人，但最吸引裘德注意的，還是泰莉。不只因為她有一對迷人的藍眼睛，她的外表也同樣出色。而且，裘德很喜歡和泰莉交談的感覺。當裘德在會場上和泰莉有越多的交流時，他越覺得泰莉是他所遇過的、最聰明的且最有活力的人之一，而且她的外在和內在同樣具有吸引力。在研討會的最後一天，他們彼此交換了名片。

*　　*　　*

兩個禮拜之後，他們兩人在克蘭多產業機構的總部所在地——亞特蘭大見面。這個機構一直都在尋找優秀的講師，因此泰莉想和裘德談一談，看看裘德本身以及全國銷售論壇可以提供哪些資源。在兩人的午餐上，裘德發現他和泰莉有許多共同仰慕的典範人物，並且有很多相同的價值觀。事實上，當發現都是自己的祖母告訴他們誠實與正直是多麼重要時，兩人不禁相視而笑。他們的談話從午餐延續到下午，然後連接到晚餐。當天晚上，當裘德離開泰莉時，他的腦中不斷想著怎樣才能再見到她。他試著不去想泰莉，但沒有多久，泰莉就又回到他的心上，他發現自己不停想著兩人下一次見面的情景。

雖然彼此的工作都很忙碌，但只要時間允許，兩人就會經常找時間見面。最後，已經很難將這種每周都要跑一趟亞特蘭大的行為說成是工作上的需要了。裘德每次和泰莉講電話時，都很不情願掛上話筒。

有一天，瓊斯打電話給裘德，直指核心。

「什麼時候你才打算認真看待我介紹給你的那位優秀女士？」瓊斯問。

「我很喜歡泰莉，」裘德說：「但婚姻是很重大的一步，我怎樣才能知道我做的選擇是對的？」

「十五歲那年，我叔叔給了我一個建議。」瓊斯說：「當時我們一起到湖邊釣鱸魚。叔叔說，你可以輕易的愛上一個女生的外表，但真正要結婚時，就必須考慮對方的人格特質。他告訴我應該找一個可以『長長久久走下去的人』，而不是只能短暫相處的人。這些話能幫助你釐清問題嗎？」

「嗯，」裘德說：「確實有幫助。泰莉符合這些條件——特別是在人格特質部分。對她來說，誠實與正直是最重要的人生價值。她認為家庭和工作是同樣重要的，因為這兩個部分都會對人生產生影響。她也很重視耐心與忠誠，我認為她是一個可以長長久久走下去的人。」

最後，愛讓裘德克服了「感情」會阻礙他追逐創業夢想的恐懼。那一年的聖

第五章
人生最重要的夥伴

誕節，裘德和泰莉一起到瓊斯夫婦家中，和好朋友們相聚並圍著鋼琴唱聖歌，在開車回家的路上，空氣中仍充滿著愛與聖靈的氣氛，裘德開口向泰莉求婚。六個月之後，他們結婚了，並定居在裘德的家鄉曼菲斯。

* * *

一直以來，在裘德的想像中，當他突破人生的天花板並成功創業時，應該是獨立一人完成的；同樣的，泰莉也一直規劃要發展屬於自己的教育訓練事業。但在他們說出「我願意」之後沒多久，這一切就都改變了。許多好朋友建議他們去參加一個專門為夫妻設計的工作坊「婚姻知心營（Marriage Encounter）」。透過一個周末的活動設計，可以讓夫妻學會很好的溝通方式。

主持人要求與會者針對不同的主題寫下自己的想法。一開始的主題是：「我喜歡你的哪些部分？」而最後一個問題則是「為什麼我選擇與你共度接下來的生命？」當所有人都針對每個主題寫下自己的想法後，主持人就要求夫妻擁抱彼此並交換寫下的東西，所以裘德看到了泰莉寫下的話，泰莉也看到裘德的心聲。當他們完全讀完對方的想法後，必須決定由誰先說明。舉例而言，如果決定由泰莉先談第一個主題，也就是喜歡對方的哪些東西，那麼泰莉必須先告訴裘德，當她讀完裘德的想法時，她知道裘德原來喜歡她什麼，而裘德則要確認泰莉的理解是否是對的，直到雙方的想法完全釐清與認同為止。他們驚訝地發現，這樣的交談非常有助於傾聽彼此的想法。

除了學到這些有用的溝通與傾聽策略外，最觸動他們心靈的，則是有關「已婚單身族」的討論。所謂的「已婚單身族」是指有些配偶雖然一起用餐、同床而眠，但兩個人的生命卻是分開的，彼此不會有交集。除了睡覺之外，主持人建議夫妻至少應該有三〇％的清醒時間是在一起的，他的論點是：「為什麼不一起參加家長會？為什麼其中一方去指導孩子打球時，另一個人不一起去？當你們一起行動、一起做事時，就能成為彼此力量的來源，而你們的關係也會變得更豐盛。」

這個建議觸動了裘德與泰莉的心靈深處。他們決定有朝一日要一起開創一個演說事業，而不再是各自發展，他們將會是一個團隊。

一分鐘智慧

*在創業的道路上所遇到的每一個人，都是有其意義的。

*「成為成功的創業家」與「結婚」這兩件事，是可以並存與相容的。

*在尋找人生伴侶時，人格特質與價值觀比外表與個性更重要。

*要建立一個很好的婚姻關係，特別當你是一位創業者時，一定要確認你除了睡覺與吃飯之外，有夠多的時間和配偶在一起。

*你和你的配偶是一個團隊，就應該表現得像一個真正的團隊。

第六章 希望之門開啟了

雖然一起開創一個世界知名的演說事業，是裘德與泰莉的新夢想，但工作才幾年的現實使得他們離這個夢想還有一段距離。基於經濟考量，裘德仍留在全國銷售論壇工作，而泰莉則在附近一家公司的教育訓練部門找到一個工作機會。很顯然的，他們還得等一等，才能開展屬於自己的事業。

就在那一年的秋天，一扇門開啟了，當時裘德與泰莉受邀參與一個於舊金山舉辦的、為期一週的大學進修課程，該課程是專為「創業家組織（Entrepreneurs' Organization, EO）」所開辦的。此一活動的主辦人瑞德．歐洛克（Red O'Rourke）曾聽過裘德在全國講師協會上發表的演說，裘德的年輕與演講魅力讓他留下深刻的印象，所以此次特別邀請裘德擔任講師。巧的是由於活動舉辦時間和全國銷售論壇的研討會正好錯開，所以裘德可以請一個星期的休假。

裘德隱約覺得這也許是一個他期待已久的機會。他將成為四十位講師中的其中之一，並對六百名創業者組織成員及其配偶發表演說。事實上，該課程的講師都是一時之選，包括韋恩．戴爾（Wayne Dyer，自我發展大師）、詹姆．柯林斯（Jim Collins，企管顧問與知名作家）、吉姆．榮恩（Jim Rohn，國際知名商業哲學家）、湯姆．彼得斯（Tom Peters，創意管理大師），以及其他知名講者。裘德幾乎不敢相信自己也能躋身知名講師之列，他希望能把握每個機會獲得這些人的親筆簽名。

當裘德告訴歐洛克他的妻子也是一名講師時，歐洛克立即表示希望能看看泰莉的演說錄影帶。看完後，歐洛克立刻邀請泰莉在進修課程中，開一場有關追求平衡生活的特別專題演說——這個主題是泰莉所擅長的。

* * *

第六章
希望之門開啟了

課程開跑的第一天，裘德蓄勢待發，他將多年來的準備全數傾注在他的激勵管理演說「你想要從事銷售事業嗎？」中，坐在台下的總共有兩百位與會者（總與會者為一千兩百名）。在每一期的進修課程中，參加的創業者及其配偶可以選擇三到四場演講。當裘德的演講結束後，就如同之前他所想像的一樣，台下的聽眾都從座位上站起身來並給予他熱烈的掌聲，所有的人都愛上了他的演說，並與奮地談論著這位新講師的活力與魅力，如此正面的反應讓裘德為之一驚。

「為什麼不呢？」泰莉給了裘德一個擁抱並說：「這並不是從今天才開始的。想想看你之前參加的Toastmasters協會的早餐會談，以及你在那裡得到的指導，還有全國講師協會的那些朋友給你的肯定與支持。更不用提你為了銷售研討會，而對那些小團體所做的簡報了。」

「親愛的，我想你是對的，我確實投入了很多時間在建構我的演說上。」

泰莉微笑著說：「瓊斯一定會以你為榮。」

第二天，泰莉發表了她的演說——「追求平衡生活的策略」，並同樣贏得台下的創業者及其配偶的高度肯定。

裘德給了泰莉一個擁抱，兩人並相互擊掌，裘德說：「前進囉！」

第三天，裘德發表了一個有關領導管理的演說。這一次，大約有八百位聽眾坐在台下。星期五，也就是進修課程的最後一天，裘德又發表了以「變革管理策略」為主題的演講，幾乎所有的與會者全都到場聆聽。

當整個活動畫下句點時，歐洛克說：「嗯，裘德，你勝出了。你是最受歡迎的講師，而泰莉也揮出了全壘打，你們兩個現在打算怎麼做？」

裘德說：「泰莉和我都會回到原來的工作崗位。」

歐洛克說：「你們瘋啦！在你們當紅時，就要把握機會！我和這裡的幾位創業者談過，我們認為你們兩人已經可以著手開創你們的演講與教育訓練公司了！」

裘德笑著說：「這當然是我們的夢想，我們希望有一天能擁有自己的演說事業，但眼前就財務上來看是不太可能的，目前光要打平生活收支就不容易，怎麼可能開一家公司？」

「不要輕言丟開你的夢想，」歐洛克說：「我相信你們兩個有足夠的決心與勇氣，去跨出屬於你們的第一步。」

＊　＊　＊

當裘德將歐洛克的一番話告訴泰莉時，他們兩人都感到既掙扎又興奮。他們都想開創屬於自己的事業，但心中不免感到害怕。

「對我們來說，現在創業也許是開創命運的起始點，卻也可能是厄運降臨的時刻！」裘德說：「我怕如果我們現在就投入卻失敗了，不就正好證明那些唱反調的人是對的。」

泰莉點頭：「我們的確站在十字路口上。」她說。

裘德突然記起許多年前，祖母在廚房裡對他說的那一番話，祖母告訴他在面

第六章
希望之門開啟了

對類似的決定時，謹慎思考是多麼的重要。裘德知道有一個選擇就在他們眼前，而且這個決定將會影響他們接下來好幾年的人生。多年以來，創業一直是他的夢想，但他和泰莉拉得動這個夢想嗎？他們有足夠的經驗嗎？此時此刻，就是裘德最需要人生導師的時候。

當天傍晚，裘德打了電話給瓊斯。

「怎麼啦，裘德？」瓊斯問。

「我和泰莉正在舊金山參加創業者組織的進修課程。很顯然的，我們表現得很不錯，所以一些具有影響力的企業人士，鼓勵我們現在就可以著手開創屬於自己的演講與教育訓練事業。」

「所以你們兩個現在是熱門人物囉？」

「我一共發表了三場演講，而且聽眾一場比一場多。我的最後一場演講幾乎吸引了所有與會者的參與。泰莉也發表了她最擅長的、有關平衡生活的演說，也令台下的聽眾為之驚豔。聽那些人說，在這次活動中，我們兩人是最受歡迎

第六章
希望之門開啟了

的。」

「所以他們認為你已經可以開創自己的事業了？」

「對。有好幾位總經理提供我們許多演講機會。我們現在該怎麼做？」

「我為你感到高興，裘德，」瓊斯說：「如果你真的已經準備好開創自己的事業，那麼必須先知道要成為一位成功的創業者應具備哪些條件。我建議你打電話找我的一位朋友，哈瑞斯．帕瑪（Harris Palmer），他是來自澳洲的一位創業家，非常了解創業，他曾經幫助過我。」

*　*　*

隔天早上，裘德撥了瓊斯給的電話，他很訝異電話竟然一下子就接到哈瑞斯手中。

「如果你是瓊斯的朋友，那一定有些可取之處。我能幫你什麼忙嗎？」哈瑞斯帶著濃厚的澳洲腔說。

「我想要開創自己的事業，瓊斯告訴我你連睡著時都能創業。你能否給我一些指點？」

「哦，我想我們的談話不需要太長時間，」哈瑞斯說：「因為要成為一位成功的創業者，只需要記住四件事。」

「**第一件事是，你的營業額必須超過費用**。許多人創業時，只想要有很炫的文具用品與名片，以及一間很棒的辦公室，但他們卻沒有任何客戶。這種模式注定會失敗。」

「**第二，收款**。許多人會和那些欠他們錢的客戶談生意。對方也許有欠錢的理由，但你千萬不能成為客戶的銀行。」

「**第三，照顧你的客戶**。他們是付錢給你的人，記住，你是為他們工作的。」

「**第四，照顧你的員工**。我很訝異許多創業者竟然在壓榨員工後，還期望他們能幫忙照顧客戶。在開創與經營企業時，你的員工並不是公司最重要的資產，他們就是你的公司。當你砰然關上門，而員工摸摸鼻子回家時，公司的業務就會跟著他們走了。」

在哈瑞斯講這些話時，裘德興奮地做筆記。

「哇，」他說：「瓊斯說的果然沒錯，你的建議真的太棒了，謝謝你！」

*　*　*

第六章
希望之門開啟了

在和哈瑞斯談過沒多久之後，裘德與泰莉就開始朝夢想前進，並展開創業計畫，他們將公司命名為JTA（Judson, Terri & Associates，代表由裘德與泰莉合組的公司）。他們決定一切簡單就好——不需要花稍的名片與文具，甚至不需要辦公室。等到公司賺到足夠的錢後，這些東西自然就會水到渠成。

他們充滿了活力，但也不免有些惶恐，他們花了好幾個小時討論利弊得失。從好的一面看，他們正在實現一個兩人共有的、懷抱著熱情的夢想；從壞的一面看，就他們目前的財務狀況而言，這無疑是一種風險。首先，他們得放棄兩份薪水，這就是第一個要承擔的風險。

幸運的是，他們的熱情蓋過了恐懼。他們打了電話給瓊斯，分享裘德與哈瑞斯的對話內容，以及他們對於開創新事業的興奮之情。

「哈瑞斯很棒，」裘德說：「對於接下來該怎麼走，我們來來回回不斷拉鋸，不過最後還是決定投入創業之路！」

「現在我們已經下定決心，而且不會回頭了。」泰莉熱烈地說：「你覺得呢，瓊斯？」

電話另一端出現一陣短暫的靜默，接著聽到瓊斯大叫：「啟動你們的引擎——要起飛了！」

第六章

希望之門開啟了

一分鐘智慧

*許多人都把夢做得太小了。記住，如果你不認為你可以做到，你就永遠不可能達到，因此要做一個夠大的夢。

*當機會來敲門時，捉緊它。

*絕對不要讓費用高於營收。

*不要成為客戶的銀行，及時回收帳款是很重要的。

*客戶是公司賴以維生的血液——因為他們是付錢的人。

*培養與善待你的員工。他們會讓一切發生。沒有他們，你就沒有公司。

第七章
展開新事業

裘德接下來要擔心的問題，就是如何提出辭呈。對他來說，嘉納就好像他的父親一樣，其重要性不下於想自己闖出一番事業的渴望。如果沒有他的鼓勵，裘德將無從發現什麼是自己所熱愛的。

但當嘉納聽到他要創業，並緊緊地抱住裘德時，裘德原來的害怕與擔心立刻消失於無形。

「瓊斯告訴我這是必然的，特別是當你選擇了泰莉做你的重要夥伴後。」嘉納說。

接著嘉納做了一件讓人想像不到的事。他回到辦公桌，把手伸到最底下的一個抽屜，抽出支票簿，並開了一張金額五千美元的支票給裘德。「在你們開始創業後，你和泰莉可以好好地運用這筆錢，」他面帶微笑說：「謝謝你為我和全國銷售論壇所做的一切。」

裘德感動得說不出話來。辭職那天，嘉納足足花了二十分鐘的時間幫他清理辦公桌。裘德眼中含著淚水對嘉納說：「我是如此的幸運，可以有你這樣一位好導師與好朋友。我該如何表達我的謝意呢？」

「表達謝意的最好方式，就是你和泰莉能成功創業，成為全國最棒的講師。」嘉納說，並給了裘德一個大大的擁抱。

「我們一定會努力的。」裘德微笑著說：「還有任何臨別建議嗎？」

嘉納眼中閃著慧黠的光。「我有兩個提醒。第一，記得要經常自我關照。當你贏得許多掌聲，而且人們都被你所講的每一個字而牽動時，你可能會開始覺得自己是最了不起的。我們曾經請過一位在講台上非常出色的講師，但由於他過度自我放大，以至於根本無法合作。我們本來請他出席十二場研討會擔任講師，但在講完第一場後，我們就取消了他剩下的十一場演說。除了有能力之外，還要懂得謙虛。」

「你的第二個提醒是……？」裘德問。

「同一個演講主題，你可能已經說過很多次。不過在每一次發表時，都要帶著相同的熱情與用心，就好像第一次一樣。」嘉納說：「你所說的內容對你而言，也許已經很熟悉了，但對聽眾來說並非如此。如果你的演說能觸動一位聽眾的生命，那就是你站在台上的原因。」

裘德感到難以置信。不只是因為嘉納對他要自行創業沒有生氣，更因為他是如此地慷慨，而且仍願意提供建言並導引裘德。

*　*　*

第七章
展開新事業

那天晚上，裘德與泰莉一起簽署了設立新公司的相關文件。當紙上的墨水乾了後，裘德伸過手來握住泰莉。「從你走進我的生命的那一刻起，」裘德說：「就開始幫我實現夢想。親愛的，這一直都是我想要的——擁有自己的公司，我很喜歡我們可以一起做這件事。」

泰莉握緊裘德的手，眼睛閃亮地微笑說：「這是你應該得到的。如果你沒有這樣的夢想，我們就不可能走到這裡。」

就這樣，JTA公司誕生了。

裘德撥電話給瑞德．歐洛克告訴他這個決定。歐洛克說：「我為你們兩個感到開心。如果你們需要任何的幫助，只要打一通電話就能找得到我。」

* * *

裘德與泰莉必須做的第一個決定，就是在JTA的經營中，誰應該扮演什麼角色。他們認為裘德的強項，是在領導管理的策略與願景規劃上，他能掌握目標並勇於打造遠大的夢想；至於泰莉的強項，則是在公司的行政作業面上。她是一個很會找資源的組織者，並且善於管理人。基於這些原因，於是決定由裘德擔任JTA的總裁，而泰莉則成為公司的總經理兼營運長。

第七章

展開新事業

一開始，裘德與泰莉把公司設在家裡。這真是一種超精簡的營運模式，他們把文具用品放在廚房的櫃中，然後將演講講義儲放在車庫裡，講義的郵寄作業也在車庫中進行。Kinko's就是他們的辦公室（註：Kinko's為知名的文件暨商業管理連鎖店，提供文件列印、製作、管理及郵遞服務等）。

如同之前承諾的，那些來自創業家組織的朋友們沒讓裘德與泰莉閒著，他們預約了他們兩個的時間，請他們參加下一次的進修課程，時間是在秋天，地點則是在澳洲墨爾本。裘德與泰莉覺得很光榮，並且認為自己正受到許多人的支持與祝福。

＊　＊　＊

雖然有來自創業家組織的支持，但只靠這些是不夠的。裘德與泰莉必須非常努力，以穩固其他的演講機會。JTA的業績證明了他們的努力是值得的。

大約六個月後，JTA的現金流量開始足以讓他們租一個小小的辦公空間。

這個空間只容得下兩個很小的工作區，由於他們請了一位秘書，使得泰莉與裘德可使用的範圍變得更加有限。

裘德與泰莉不時會想起哈瑞斯．帕瑪的建言，他們盡全力確保營收大於費用，而他們的秘書琳達也非常盡責地努力收款，以確保他們的努力有所回報。

雖然有時候裘德與泰莉會出席同一個場合演講，如創業家組織的進修課程，但通常兩人都是各分東西，就好像黑夜中在海面上短暫相會的兩艘船。不過，接下來的幾個決定改變了這個現象。

首先，裘德與泰莉意識到如果他們賺錢的唯一方式，是必須親自到場演說，那麼其收入將受限於能擠出多少時間出席演講活動，更重要的是，他們的身體一定會吃不消。所以他們浮現了一個新想法：希望在睡覺時一樣能賺錢。他們想像著即使在休息時，款項還是能透過郵件系統進入帳戶。於是他們決定打電話請教瓊斯對這個新事業的想法。

「慢慢拓展事業的想法是好的。」瓊斯說：「談到賺錢，雪爾登．包樂斯教我的第三件事，就是你必須加上你的熱情。包樂斯將其稱之為『創意測試』。如何在你的熱情之上，開創新的營收管道？一定要記住：營業額減費用才是你的收入。不幸的是，談到增加收入時，大部分的人都會將焦點放在縮減成本上。」

「難道管理成本不重要嗎？」裘德問。

「當然重要，」瓊斯說：「管理成本雖然重要，但在此同時，也可能產生更多的負面能量。」

「沒錯。」裘德說。

「要反制這種現象，」瓊斯接著說：「你必須加入正面的能量，也就是致力於開創新的營收管道，而且是建立在你既有的熱情與擅長的事物上。」

裘德與泰莉知道，要建立一個跳脫目前架構的事業，他們需要尋求協助。於是裘德打電話告訴歐洛克他們想要這樣做。歐洛克認為應該幫JTA公司成立一個諮詢小組，以幫助他們邁向下一個發展階段。

歐洛克邀請另外三位創業家組織成員加入諮詢小組的陣容。這三個人都有各自專擅的領域，可以為新的事業藍圖加分：璜・艾斯可巴（Juan Escobar）擅長財務管理；羅・史丹佛（Lou Stafford）擅長顧客服務；南西・卡琳（Nancy Kaline）則專精於人力發展。歐洛克是個很有力的召集人，這三位專業人士都願意自己花錢飛到裘德住的地方、靠近曼菲斯的一個度假區，在月底時和歐洛克、裘德與泰莉會面。這次會談的目的是定出擴展JTA的營運發展計畫，他們要求裘德與泰莉在會談之前，先思考一下公司的目標與策略。

＊　＊　＊

一個月後，裘德向大家提出了初步的營運擴展想法，不過他們的想法卻受到諮詢小組的質疑，因為他們漏掉了一個重要的細節。這兩位年輕的創業者——裘德與泰莉——大談如何和他們喜歡的人共事、如何改變世界，以及如何享受樂趣，就是沒有提到要如何獲利？

「誰願意付錢做這些擴張？」璜笑著問：「如果你想要繼續經營的話，就一定要獲利。」

「璜是對的，」歐洛克說：「雖然獲利不應該是你們唯一的考量，但若沒有好的現金管理，你們的事業就會出現問題。」

那個周末，諮詢小組不僅幫他們釐清擴展目標，使其成為實際的營運目標，並幫助他們發展預算、分析人力需求，以及建立一個條理清晰的營運計畫。

裘德與泰莉立刻著手執行他們的新營運計畫。首先，他們與其他一些講師合作，當碰到裘德與泰莉都不克出席的活動，或是演講主題不太適合時，就可以將演講機會轉給這些合作夥伴，而泰莉與裘德則可以收取二五％的講師費，這使得JTA本質上成為一個小型的講師中心。

裘德與泰莉做的第二件事，就是開始發展一些學習教材——評量工具與影音教材等，這些東西不但能強化他們的演講與課程，還能銷售給客戶與講師。

類似的新策略都需要增加人力，裘德與泰莉開始慢慢加人，以確保費用不會超過營收。

新的業務與新增加的資源需要有人監督打理，當裘德與泰莉都不在辦公室時，這就成為一件難事。不過，當泰莉懷了他們的第一個小孩時，一切情況就改變了。

每天早上的孕吐讓泰莉的差旅行程受到限制，而隨著第一個小孩艾利克斯的誕生，泰莉不得不放下她的演講事業。兩人都認為泰莉不該再離家奔波，因此除了當地的演講機會外，泰莉不再到處演說；五個月之後，泰莉再度懷孕，九個月後，艾利克斯的妹妹伊莉莎白出生。於是，泰莉就留在曼菲斯管理公司，經營事業的重任則由裘德一肩扛起。

第七章
展開新事業

一分鐘智慧

*你必須找出新的營收來源，不然就得事必躬親。
*如果只將焦點放在降低成本上，你的事業將不會成長。
*當你的事業走到一個新階段時，不要怯於尋求諮詢。
*如果你想要持續經營，就一定要獲利。

第八章
痛苦的財務問題

接下來的五年裡，JTA慢慢成長並成為一家擁有十五名員工、十位合作講師的公司。在這段期間，裘德與泰莉搬了兩次辦公室，不過，經營事業不會總是一帆風順，裘德的年輕致富夢想也還有一大段路要走。

由於遭逢經濟下滑之故，公司的數字看起來一片低迷。雖然裘德與泰莉祭出的提升營收辦法奏效，但他們卻開始忘記了某些在早期學到的東西。費用增加的速度比營收來得快，而且，除了費用高於營收之外，JTA的應收帳款收款進度也落後許多，有些大客戶開始拖欠帳款，原本的標準付款期是三十天，但實際收到款項的日期卻遠遠超出許多。

裘德知道該去找璜．艾斯可巴的時候了，他是諮詢小組中最懂財務管理的人。當裘德一坐進璜的辦公室時立刻承認：「我們似乎忘了哈瑞斯・帕瑪教我們的、有關成功創業的頭兩件事：營業額一定要高於費用，以及必須如期收款。」

璜帶著微笑說：「我很高興你終於承認了。裘德，之前我就警告你，但你把所有的注意力都放在公司的成長上，以至於忘了我說的話。」

「在我們第一次見面，也就是你剛要開始創業時，我就告訴你，企業若要持續經營，一定要具備三個非常重要的東西。」

從裘德臉上的表情，一眼就可以看出他完全不記得這件事了。

璜說：「這次我要你把它們寫下來——而且要大大的寫下來。」

裘德拿起他的筆記本，「我準備好了。」他說。

「現金、現金、現金。這是企業可以持續經營的必要條件！要創造好的獲利，必須靠一整個團隊的努力。雖然增加營業額是很重要的，但在此同時，每個人仍必須管理成本並努力收款，以掌握毛利的狀況。裘德，如果你的付出無法及時獲得回報的話，那麼不管你有多聰明，或你的產品多有創意，都沒有任何意

第八章
痛苦的財務問題

義。你必須盡快收回你的應收帳款。如果沒有做好現金管理，你永遠無法成為成功的創業者。你必須立刻解決這個問題。照現在看起來，我認為你還有三個月的時間可以處理，如果你不做改變的話，到時候銀行與其它的催收單位應該就會狂打電話給你了。」

「璜，我同意你的看法。」裘德說：「你還有什麼建議？」

「我們必須規劃一個短期計畫，以停止目前這種財務失血的狀況。同時，你必須攤開帳本，讓公司裡的每個人都知道目前的財務狀況。」

但裘德對於將帳本攤在每個人眼前的做法感到不解。

「我知道你在想什麼。大多數的經理人最不想做的一件事，就是讓員工知道公司的財務狀況，但是聰明的經理人知道，讓員工了解一般被視為敏感與機密的資料，將有助於企業獲致更大的財務利潤。他們相信當員工知道公司是靠什麼賺錢時，就越願意捲起袖子幫公司打拚。在這種情況下，每個人都會產生一種責任感，因為他們開始意識到自己的努力，會對公司的財務產生什麼影響。」

「讓我舉一個例子給你聽，」璜繼續說：「當年我開餐廳時，一直很難說服我的總經理相信和員工分享財務資訊是有用的。為了打破那位總經理的成見，有一天晚上當餐廳打烊時，我請所有人一起到用餐室集合，我將所有的員工——包括廚師、洗碗員工、男服務生、女服務生、送貨人員——分成五到六組，每一組坐在同一張圓桌，然後請大家一起回答以下的問題：

「你認為餐廳每一塊錢的營業額中，有多少比率是餐廳的獲利——也就是最後可以分給投資者或再投資到餐廳營運上的金額有多少？」

「根據小組成員的估算後，最少的一組認為應該有四毛錢，有好幾組則認為有七毛錢。但事實上，在餐飲業中，如果可以淨賺五毛錢的話，就算是經營良好了。你能想像如果我的員工希望公司是一部賺錢的機器，他們對於浪費食物、人工費用，以及打破鍋碗瓢盆等，會抱著什麼樣的態度呢？」璜問。

「我相信從那次以後，他們的行為模式一定有所改變。」裘德說。

「確實，」璜回答：「當時有一位廚師問：『你的意思是說，如果我煮壞了

第八章
痛苦的財務問題

一塊成本六元，但售價是二十元的牛排，以五%的獲利率來看，我們必須賣出六塊完全沒有獲利的牛排，才能彌補我煮壞一塊牛排的損失？』直到那時，他才知道煮壞一塊牛排的損失有多大。」

「我懂你的意思了，」裘德說：「不過攤開帳本並不是一件令人感到舒服的事，特別是當數字並不好看時。」

「會有這樣的感覺，是因為你比較在意表象，而非尋求幫助以獲致真正的成功。如果你讓員工知道相關資訊並讓他們發揮創意，你將會驚訝地發現他們會如何協助管理成本，以及激盪出許多提升營收的方法。」璜說。

* * *

接下來的那個星期，裘德與泰莉採用了璜的建議，他們召集全公司的員工開會。在會中，他們攤開了公司的帳目與資產負債表，上面的數字很不好看，看著每個人臉上流露出來的疑慮，裘德說：「在努力扭轉這個狀況的同時，泰莉和我並不想裁員，我們希望大家能攜手解決問題。我們打算組成幾個工作小組，以找出提升營收之道，以及如何降低成本。很顯然的，如果我們要跳脫目前這種困境的話，下一季必須降低二五%到三〇%的費用。」

對於袠德與泰莉的開誠布公與尊重，每個人都感到很高興，並立刻挺身相助。所有人都同意減薪。袠德與泰莉減薪十五%，所有主管則減薪十%，至於所有的第一線員工則減薪五%。除此之外，還有幾個措施也獲得大家的認同。例如有人離職就遇缺不補，在此期間，公司也無法提撥退休基金。

在公司最艱難的時候，員工所表現出的忠誠與承諾讓袠德與泰莉深受感動。每個人都願意勒緊腰帶幫助公司起死回生。讓每個人感到驚訝的是，不到十八個月的時間，公司的財務問題就獲得改善了。

當袠德告訴瓊斯這個好消息時，瓊斯如預期般地說：「太棒了！現在你的財務狀況已經得到控制了，不要忘了哈瑞斯．帕瑪說的另外兩件有關成功創業的事：照顧你的顧客，以及照顧你的員工。事實上，我最近聽到了一句很棒的話，它把所有的元素都納入了：**當你照顧好你的客戶，並為你的員工創造一個具激勵性的環境時，就能贏得獲利。」**

「這句話說得真好。」裘德說。

「我剛剛說過了，你的財務問題已經有了一些不錯的改善。接下來你要如何善待你的顧客與員工？」

裘德為之語塞。業務狀況確實好轉了，不過他知道公司還沒有做好足夠的準備，以因應目前的顧客需求。他很害怕員工會把事情搞砸了。雖然他的員工們對於能挽回財務頹勢感到興奮，但持續的長時間工作已經使得他們筋疲力盡。而且，在急於衝業績的同時，員工們也犯了許多錯誤，例如將錯的教材寄給錯的人，裘德知道許多問題已經被擱置許久了。

「我們必須做得更好。」裘德回答。

*　*　*

第八章
痛苦的財務問題

那天晚上，裘德將他和瓊斯的對話告訴泰莉：「我們必須發展一些策略，以提供更好的服務給客戶，並協助與支持我們的員工，讓他們更有效地執行這些策略。」

幾天後，當泰莉聽到公司的員工瑪麗亞，以一種敷衍的、幾近冷漠的態度接聽客戶電話時，她終於感受到公司目前的問題所在。

「是陌生人打來的電話嗎？」泰莉面帶微笑問瑪麗亞。

「不，是比爾．雷克曼打來的。」比爾是他們最好的客戶之一。

「聽起來你好像不太高興的樣子。」泰莉說。

瑪麗亞的眼睛睜得斗大。「哦，對不起。」她說：「我不知道我的聲音聽起來是這樣的。我只是快被工作淹沒了，我有一堆電話要回、一疊訂單要處理，還有好幾個特別的專案正在進行。我想我是忙到沒時間顧及我的態度。」

泰莉感同身受地微笑著說：「先做一個深呼吸吧，瑪麗亞。不要擔心那些還沒做完的事。這裡不是急診室。沒有人會因為你沒有立刻處理而死掉。對了，有

第八章
痛苦的財務問題

其他人可以幫你忙嗎？」

「不是這樣的，」瑪麗亞搖頭回答：「每個人都已經很忙了，不過說真的，我們最近都覺得壓力很大。」

「謝謝你讓我知道這件事，」泰莉說：「我們一定會想辦法減輕所有人的壓力，這樣你們才能盡量給客戶最好的服務。」

「這正是我們希望的，」瑪麗亞說：「謝謝妳。」

當泰莉把這件事告訴裘德時，裘德嘆氣了。

「讓我們打個電話給羅．史丹佛吧。」他說：「在我們的諮詢小組中，他是最懂顧客服務的專家。」

一分鐘智慧

＊對創業者來說，成功的秘訣就是創造現金、現金、現金。

＊沒有好的現金管理，就不可能成為創業家。

＊當你照顧好你的客戶，並為你的員工創造一個具激勵性的環境時，就能贏得獲利。

第九章
創造與眾不同的服務

對於裘德與泰莉的來電，羅．史丹佛感到很高興。「隨著企業的成長，必然會遭遇到某些痛苦與問題。」羅說：「不過照顧客戶並不是一個選項——而是一定要達成的使命。特別是像現在，當你的企業正在不斷成長時，更需要讓客戶知道你把他們放在第一位。讓客戶感受到你對他們的愛與尊重。如果做不到這點，那麼很快的你就會連一個客戶也沒有。而如果沒有客戶，你的企業就不可能繼續存在。」

「但是，當我們還得做許多事情時，要如何才能做到這點？」

「這是一個核心問題。」羅回答說：「你必須讓員工清楚地知道善待客戶的重要性。若要留住現有的客戶，不只要滿足他們的需求，還必須提供與眾不同的服務，並讓他們為你瘋狂，成為你的『粉絲』——這些人會對你的待客之道感到興奮，並會將你的事情說給其他人聽。基本上，這些客戶將成為你的銷售幫手，幫忙推銷你的公司。」

「你所謂的『與眾不同的服務』是指什麼呢？」

「讓我告訴你一個例子吧。」羅說。

* * *

「有一天，我媽媽想從冰箱裡拿冰塊，可是當她打開冰箱的製冰盒時，卻流出了一大堆水，當時的她已高齡九十歲了；很顯然的，冰箱的某些部分壞掉了。由於我媽媽是一個很獨立的老太太，並希望能自己解決問題，所以就動手翻閱電話簿，她打了好幾家的家電維修公司，一家又一家，但得到的回答都是一樣的，就是至少必須等三個禮拜才能到府維修。對於一位九十歲的老太太來說，三個禮拜的時間真的是太久了！」

第九章

創造與眾不同的服務

在電話線的那一端，裘德與泰莉噗哧笑了出來。

「我的母親備感挫折，就在她打算打電話向我求救時，突然看到一則小廣告，上面寫著：『當天服務。』她撥了那個號碼，電話那頭很快傳來一個親切的聲音：『我們很樂於今天就到妳的府上維修冰箱，史丹佛太太，你希望我們幾點到呢？』」

『還可以選時間哦？』我的母親充滿驚訝地回應。

『當然。』

『下午兩點可以嗎？』我的母親問。

「當天下午兩點，不僅有一位維修服務人員準時出現，而且還自備工具並很快地修好了冰箱。當要離開時，他拿出了一張名片給我一臉驚訝與開心的母親。名片背後有他家中的電話號碼，他說：『不管是白天或晚上，不管是什麼時候，只要你的冰箱有問題，都可以打電話給我。』」

「你覺得在接下來的三天裡，我媽媽會做些什麼呢？」羅問：「她打電話給每一個親朋好友，告訴他們她得到了很棒的服務。她成為那家維修公司的超級粉絲。」

「但那家公司怎麼能提供如此快速的服務呢？」泰莉問。

「當我母親告訴我這件事時，我也有同樣的疑惑。」羅說：「所以我打電話給店主，以找出他如何能在客戶打電話來的當天就提供服務。答案是：他以前在麻塞諸塞州也同樣從事維修工作，不過因為身體之故，醫生建議他搬到氣候比較溫暖的地方居住。當他搬到聖地牙哥後，就開始找有哪些人買了房子正要搬家，找到這些潛在客戶群後，他就會主動敲門並告訴對方，他可以提供維修服務，如果他們需要有人幫忙油漆或維修，他非常樂於用合理的價錢接下這些工作。他唯一的要求是，如果客戶滿意他的工作品質，就把他介紹給其他的客戶。」

「他總是準時出現，說到做到，而且品質很好，同時，他的收費也非常合理。人們都很喜歡找他，他的事業很快就邁上軌道，以至於到後來當老客戶打電話找他時，由於他實在太忙，以至於無法幫忙。不少人開始建議他開公司，但一

第九章
創造與眾不同的服務

想到要管理員工與支付龐大的薪水，他就心生遲疑。」

「我可以理解他的考量，」裘德笑著說：「後來他是怎麼解決這個狀況的？」

「有一天晚上，他半夜醒來，腦中突然出現一個聰明的念頭，」羅回答說：「在聖地牙哥，有二五％的人都是退休者，其中有許多人覺得日子過得很無聊，大部分的退休者都願意有多一點收入可以用。如果能讓他們有些事情做，又能夠幫助別人，這些退休者通常非常樂意。因此他在當地的報紙上刊了一個小廣告，內容是：『致退休者：如果你擅於維修，希望能幫助別人並為自己賺取一些額外的收入，請打電話給我。』」

「這個廣告讓他擁有現在的事業規模，他旗下有二五到三〇名退休的接案人員。所以每當有像我母親這樣的客戶打電話來時，他就能從中找到一位並提供立即的服務。而且，他很仔細地觀察這些退休人員的工作表現，因此他用的都是品質最好、最可靠的人。採用這種模式讓他無須負擔大筆的薪資費用，那些退休人員如果沒有案子，就沒有報酬。不過，他告訴我，事實上，他曾經付薪水給其中幾個人，因為他們真的很愛這份工作。」

* * *

「哇，這真的是一個很棒的、跳出框框的想法。」泰莉說。

「《顧客也瘋狂（*Raving Fans*）》的作者之一，雪爾登．包樂斯指出，要讓客戶成為你的瘋狂支持者的秘訣有三，分別是：決定（Decide）、發掘（Discover）與提供（Deliver）。」

「他所謂的『決定』是指什麼？」泰莉一邊做著摘要一邊問。

「如果你想要讓客戶為你瘋狂，光在嘴上說是沒有用的，你必須擬定計畫。」羅說：「你必須決定一件事：當客戶與你的組織接觸時，不管是透過哪個管道或從哪一個層面接觸，你想要客戶有怎樣的體驗？」

「如果我們以客為尊的話，」泰莉說：「我們不是應該問客戶他們想要有怎

第九章
創造與眾不同的服務

樣的體驗嗎？」

「對，但也不對。」羅說：「當我們請教客戶的意見時，他們通常只能根據自己的經驗作答。他們看不到全貌。這正是為什麼你和你的員工必須先決定想讓客戶有怎樣的體驗。」

「但究竟要怎樣才能做到呢？」裘德問。

「曾任北歐航空公司（Scandinavian Airlines System, SAS）總經理的姜．卡爾森（Jan Carlzon）提出一個很棒的想法：當他剛進入該公司時，他出差到歐洲各地會見所有的員工，以分享他對公司經營的願景。他說：『我們不會因為有好的飛機，就打敗競爭對手。擁有好的產品或服務並不是最終極的競爭利器。』」

「為什麼他會這樣說呢？」裘德問。

「因為你的競爭對手總是能複製你的產品或服務。」羅說。

「但擁有好的產品或服務不是很重要嗎？」泰莉問。

「當然重要，」羅回答說：「不過這只是經營企業的入門要件而已，而不是終極的競爭利器。」

「那低價會是最佳的競爭優勢嗎？」

「不，」羅說：「卡爾森的說法是：『我們不會因為有市場上最低的價格，而打敗所有的競爭者。我們也不想陷入價格戰中。』你所需要的，是公平合理的價格。」

「如果既不是你的產品或服務，也不是你的價格，那麼，什麼才是你的終極競爭利器？」

「卡爾登是這樣說的：『唯有憑藉著關鍵時刻（Moment of Truth），你才能打敗競爭者。』」羅說：「卡爾森將關鍵時刻定義為：『顧客與你的組織中的任何人接觸、並會留下印象的任何時刻。』」

「你能舉個例子說明一下什麼是關鍵時刻嗎？」泰莉問。

「當然，」羅說：「讓我們舉飯店的晨醒電話為例吧。一般飯店裡提醒客戶起床的電話是怎樣的呢？」

第九章
創造與眾不同的服務

「我最近常常出差，」裘德說：「所以我可以告訴你。你會聽到電話鈴聲響起，你接起電話，但電話那頭卻是沒有人的。基本上，是機器打電話給你的。」

「沒錯，」羅說：「這些電話大部分都會說些什麼？」

泰莉說：「我接到的電話通常會有一段類似這樣的錄音內容：『早安，這是提醒你起床的電話。』不過電話裡並沒有真的人在講話。」

「就是這樣，」羅說：「現在請想一想，如果你接起電話，發現真的有一個人和你說話，你一定會感到非常驚訝！」

「的確，」羅說：「現在我就要說一個我自己親身經歷的關鍵時刻了。當時我住在奧蘭多的一家Marriott酒店，七點鐘時，我的電話準時響起。我接起電話，聽到另一端有一個女性的聲音響起：『早安，史丹佛先生，我是泰莉莎。現在時間是七點鐘。白天的溫度大約是華氏七十五度，而且奧蘭多今天的天氣很好。不過根據你的訂房紀錄，你今天就要退房了。請問你要前往哪裡呢？』」

「當時我愣了一下，」羅說：「我結結巴巴地說：『我要去紐約市。』」

「泰莉莎聽了之後說：『我看看今天的天氣圖。哦，不會吧，紐約市今天的溫度只有華氏四〇度，而且還是下雨天。你沒有辦法再多留一天嗎？』」

「你覺得如果我以後再到奧蘭多的話，會想住在哪一家飯店？我想住在Marriott，這樣才能在一大早時和泰莉莎講話！」羅笑著說。

「我知道了。」裘德說：「就是這些小小的關鍵時刻，它們足以建立或破壞顧客關係。」

「沒錯，」羅說：「對卡爾森及其他出色的服務提供者來說，關鍵時刻包括每個細節，連座位上的咖啡漬都是。唐納．博爾（Donald Burr）在擔任人民航空公司（People Express Airlines）的總裁時曾指出，如果飛機上的餐盤不乾淨的話，客戶很可能也會覺得飛機的引擎沒有好好維修。試問一下，在開了一整天的車後，有幾個人會選擇一家招牌上有好幾顆燈不亮的汽車旅館住宿？」

「不會是我。」泰莉說。

「到目前為止，我們談到的都是外部顧客。不過要注意的是：每個人都是顧

第九章
創造與眾不同的服務

客，而且每個人都有自己的顧客。」羅繼續說：「所謂的外部顧客，是指和你的組織有生意往來、且來自於組織外部的人。舉例來說，在快餐店幫顧客點餐的員工，就是服務外部顧客的人。至於內部顧客則和你同屬於一個組織，而且，此人不一定要服務外部顧客。例如人力資源部門的員工，其主要的服務對象都是內部顧客。另外有些人，如會計部門的人員，則必須同時服務外部與內部顧客。他們必須幫內部顧客寄帳單與發票給外部顧客。我要表達的重點就是：每個人都有自己的顧客。」

「所以，創造與眾不同的服務的起點，就是從你希望顧客有什麼樣的體驗開始。」裘德說：「而那些提供出色服務的公司，會分析他們與顧客接觸的每個關鍵時刻，不管是對內部顧客或外部顧客，然後據此判斷要如何創造這樣的體驗。」

「你說到重點了。」羅說。

*　　　*　　　*

「你剛剛提到包樂斯的第二個秘訣是『發掘』，」泰莉看著筆記發問：「這指的是什麼？」

「在決定你想要產生怎樣的體驗之後，接下來的重點就是發掘顧客的意見，也就是找出顧客有哪些建議，可因此而改善和你的組織接觸時的體驗。哪些事務可以讓他們有更好的體驗？你可以問顧客！不過問的時候要有技巧，才能激發顧客的回應。舉例來說，你在餐廳吃飯時，應該不只一次碰到店經理走過來問你：『今晚的一切還好嗎？』你的回答應該都是：『不錯。』對餐廳經理來說，這樣的回答完全無法提供任何資訊。比較有用的對話方式應該是：『打擾一下。我是這家餐廳的經理，我想請問，今晚有哪些事情是我們可以改善的，以便讓你的用餐經驗變得更好？』這種問法比較能刺激顧客做出回答。如果顧客的回答是：『沒有』，那麼你可以誠懇地再問一句：『您確定嗎？』」

第九章
創造與眾不同的服務

「所以，根據我剛剛聽到的，」裘德說：「就是指如果我們希望JTA能成為一家成功的企業，必須善於發現顧客的聲音與想法。」

「你不需要有讀心術，不過的確要有足夠的創意，才能發現顧客心中在想些什麼。」羅說：「要做到這點，你所需要的，是好的傾聽技巧。」

「所以要擁有瘋狂的顧客的重點之一，就是要傾聽顧客的聲音，然後根據你所聽到的內容採取行動。」泰莉總結說。

「是的。」羅說：「不過還有一個條件：在你傾聽顧客的想法時，不能有任何防衛之心。人們在傾聽顧客的意見時，之所以會感到不耐煩，原因之一是他們覺得好像非得照顧客想要的方式去做。這些人不了解，其實傾聽可以分為兩個部分。第一個部分就是史蒂芬．柯維說的：『先尋求了解』，換句話說，不只要聽，還要了解對方的想法。你可以試著這樣說：『這聽起來很有趣，請多告訴我一點。你可以說得更具體一些嗎？』」

「傾聽的第二個部分，就是決定是否要根據你聽到的內容去做。」羅繼續說：「這個部分和前述了解顧客的說法是分開的。而且很重要的一點是，不需要在收到顧客的意見之後就立刻採取行動。你可以先花點時間思考，或是和別人討論過後，再決定是否要採取行動。知道自己還有時間加以思考反應，將可以減少你的防衛之心並讓你成為更好的傾聽者。因此第一步是了解對方的說法，接著再決定針對你所聽到的內容，想要採取怎樣的行動。」

「我最近在大賣場裡，就看見一個帶著防衛之心聽對方說話的例子。」裘德說：「當時我走在一位女士後面，她帶著年約八歲或九歲大的兒子。當他們走過一家運動用品店時，那個小男孩的眼睛掃了一遍，並看見店門口外那輛漂亮的紅色腳踏車。他停下了腳步並對他的媽媽說：『我想要一輛像這樣的腳踏車。』他的母親聽到後就馬上抓狂，並開始尖叫說：『我有沒有聽錯啊！我才剛買了一輛腳踏車當你的聖誕禮物！現在才三月而已，你就想要一輛新腳踏車了！我再也不會買這些該死的東西給你了！』我想她當時應該很想用手指搓破小男孩的頭。」

「讓人難過的是，這的確是一個典型的案例。」羅說：「這位女士在還沒充

第九章
創造與眾不同的服務

分了解情況前就做出決定。如果她對小男孩說：『親愛的，你喜歡這輛腳踏車的哪些東西？』小男孩可能會說：『你看到手把上發出的炫光嗎？我真的好喜歡哦！』那個會發光的手把可能很便宜，也許正好可以買來當作生日禮物。」

「接著，在聽完小男孩為什麼喜歡那輛腳踏車後，母親可以這樣說：『親愛的，你知道為什麼我不應該再幫你買一輛新腳踏車嗎？』小男孩也許會說；『因為我才剛買了一輛。』」

「當你犯了一些令顧客不滿的錯誤時，不帶防衛之心的傾聽也可以幫上你的忙。」羅繼續說：「當顧客感到不高興時，最想要的就是有人聽他們的抱怨。研究顯示：如果你以一種不帶防衛之心的、懇切的態度傾聽顧客的抱怨，然後接著問：『我們應該怎麼做才能讓您再度光臨？』十個有八個顧客會說：『你已經做了。你傾聽了我的想法。』」

「如果顧客提出了一個好建議，或如果顧客感到不滿的事情的確值得改進，我該怎麼做呢？」泰莉問。

「你可以將這些建議加入你的顧客服務架構中。」羅回答：「舉例來說，最近我收到一位有三間麥當勞餐廳的人寫來的信，他的三家麥當勞都位於美國中西部。店裡那些年長的顧客建議他，在某些特定的時段可以在桌上鋪上桌布，並在桌上放上蠟燭，另外，員工可以到顧客座位上點餐，並將餐點送到他們的桌上。在經過思考之後，店主認為這是一個非常好的想法。現在，每天下午四點到五點半間，也就是許多長者的主要用餐時段，這家店的桌上都會鋪上桌巾並擺放蠟燭，原本站在櫃台後的員工也會走出來服務顧客。於是，在那個時段中，一大堆年長的顧客全都蜂擁進他的店裡。」

「當你將希望顧客有怎樣的體驗，以及顧客自己想要些什麼結合起來時，就可以得出一個相當完整的顧客服務架構。」羅歸納說：「傾聽顧客的聲音、將她們的需求納入你的架構中，然後再持續地提升你的服務水準，將可以讓顧客為你瘋狂。」

第九章
創造與眾不同的服務

*　*　*

「你之前還提到了『提供』，」泰莉再度看著她的筆記說：「可以再說明一下嗎？」

「當然可以，」羅說：「這個概念其實就是多提供一個百分點的服務。當你已經清楚地掌握想讓顧客有怎樣的體驗，這個體驗可以讓顧客感到滿足、感到高興，並讓笑容綻放在他們臉上，接下來必須要做的，就是如何振奮你的員工，讓他們提供能為這個體驗多加一點分的服務。」

「公司的負責人或高階領導者必須負責打造顧客服務的願景。根據公司規模的大小，可將其視為領導管理的願景層面或策略層面。我雖然用了『負責』這兩個字，但並不是指負責人或管理高層不需要參考與接納其他人的想法，而是指這件事的責任是落在組織高層上，不管你經營的是小小的商店，或是國際性的大企業，都是如此。一旦設定了想要提供給顧客的體驗，同時員工也承諾全力投入時，就要開始進入執行的階段，也就是領導管理的運作層面。」

「大部分的組織在執行階段都會出現問題，」羅繼續說：「因為公司裡的所有能量都會往高層移動，員工都想要取悅他們的上司，或是對上司的要求作出回應，卻沒有將焦點放在滿足顧客的需求上。科層體系的規定，以及公司政策與作業程序等反而成為主導，這使得那些與顧客接觸的員工既無準備又不投入。結果，這些人對顧客就只能像鴨子般嘎嘎叫。」

「鴨子？」泰莉問。

「對。」羅說：「個人成長大師韋恩．戴爾（Wayne Dyer）好幾年前曾說過，人生可以分為兩種：鴨子與老鷹。鴨子懵懂無辜，只會嘎嘎嘎地叫，我們大部分的人生就像鴨子一樣；但老鷹就不同了，他們採取主動並在雲端翱翔。做為一名顧客，當你遇到某些問題，而該公司的員工只會像鴨子一樣叫著說：『這是我們的公司政策！嘎！嘎！規矩不是我定的！嘎！嘎！我只是來這裡工作的！嘎！嘎！你要不要和我們的上面談！嘎！嘎！嘎！』」

第九章
創造與眾不同的服務

「最近我想要租一輛車，就碰到了一個這樣的例子。」羅繼續說：「我是校友會的財產管理人。不久前我要回學校開會，想要租一輛可以在離學校最近的賽洛庫斯市還車的車。常四處跑的人應該都知道，如果你在甲地租車、乙地還車，租車公司會收一筆很高的異地還車費。不過，如果你能夠租一輛從乙地來的車，就可以避掉這筆費用。由於我知道這點，所以對櫃台後的女士說：『妳有賽洛庫斯城的車嗎？』」

「她說：『你真幸運，我剛好有一輛。』然後她進電腦並準備我的合約。」

「其實我並不是一個特別仔細的人，」羅笑著說：「不過當我在簽合約時，眼角瞄到了一筆七十五美元的還車費。於是我問：『為什麼會有七十五美元的還車費？』」

「她說：『那不是我加上去的！嘎！嘎！』」

「我問：『是誰加的？』」

「她說：『電腦！嘎！嘎！』」

「我問：『那你要怎樣更正？』」

「她說：『我不知道！嘎！嘎！』」

「我問：『你為什麼沒把它拿掉？』」

「她說：『我不能這樣做！我的老闆會殺了我！嘎！嘎！』」

「『你的意思是因為你的老闆很難搞，所以我必須付七十五美元的還車費？』我問。」

「她說：『有一次，我的老闆讓我把它拿掉！嘎！嘎！』」

「我問：『為什麼那次可以？』」

「『因為那個顧客在這裡的大學上班。』她說：『嘎！嘎！』」

「我說：『太棒了！我是校友會的管理委員之一！』」

「她說：『那個委員會做些什麼？嘎！嘎！』」

「我說：『我們可以罷免學校的老總。』」

「她說：『你的員工號碼是幾號？嘎！嘎！』」

第九章
創造與眾不同的服務

「我說：『我沒有員工號碼。』」

「『那我要怎麼做？嘎！嘎！』」

「我花了二十分鐘的時間才讓她將那筆還車費拿掉。」羅說：「以前對這樣的人我會感到很生氣，但現在不會了，因為我知道這真的不是他們的錯。」

「你認為那位女士的老闆是鴨子，還是老鷹？」羅問。

「很顯然的，是隻鴨子。」裘德說。

「沒錯，」羅說：「如果她的老闆是老鷹，應該會給她足夠的權限解決這個問題，並讓顧客感到開心。在這個案例中，那位老闆是一隻綠頭鴨，因為他只會更大聲地叫著組織高層的規定與規矩。你認為這隻鴨老闆會幫怎樣的頂頭上司工作呢？」

「另一隻鴨。」裘德說。

「對。坐在最高位置上的又是哪些人呢？肯定是一群大頭鴨。你有被老鷹砸過嗎？當然沒有，因為老鷹在天際翱翔，只有鴨子才會把事情搞得一團亂。」

「要如何建立一個鴨子匿跡，而老鷹可以翱翔的組織呢？」裘德問。

「關於這個問題，我想你應該和JTA諮詢小組的另一位成員南西談一談。南西會告訴你：**創造老鷹之道，是要將員工視為夥伴，這樣他們才會覺得自己被授權，並且是公司的主人之一**。南西是我所見過的、最懂得如何將員工視為夥伴的人。」

「我們會去找南西談談，羅，」裘德說：「謝謝你的幫忙。」

在與羅談過之後，裘德與泰莉將他們所學到的、有關「關鍵時刻」的一切，和公司的所有員工分享。他們請每個部門的員工分析與顧客的接觸點，並擬出他們希望這些接觸點會以怎樣的方式呈現。然後，找一天請所有的員工齊聚一堂，分享心得並相互激勵，希望藉此打造卓越的顧客服務。

第九章
創造與眾不同的服務

一分鐘智慧

*找出你與顧客的關鍵時刻，以打造出你希望顧客擁有的體驗。

*傾聽顧客的聲音；發現他們對改善顧客體驗的想法，將可以使你的企業願景與服務變得更好。

*不要開一間都是鴨子的公司。讓你的員工像老鷹般翱翔，才能提供優質的顧客服務。

第十章
讓員工像老鷹般翱翔

南西．卡琳從她的父親手上，接下家族企業的經營大任，她的父親從零開始建立了這間規模龐大的、傑出的企業，並以「照我的方法做（My way or highway）」的領導風格著稱。不過，在他最後幾年經營公司時，這種風格似乎不再管用。

「有些東西改變了，」南西對裘德與泰莉說：「第一，相較於我父親剛創業時，企業經營變得更加複雜。全球化、高度競爭，以及不斷快速演進的科技，都跟他過去熟悉的世界完全不同。當公司變大時，過去那種一人獨尊的決策方式不再適用。現代的知識工作者想要的，是和領導者建立夥伴關係。」

「夥伴關係？」裘德說。

「對，」南西說：「今天的員工認為：經營層與管理層需要員工，就如同他們需要公司一樣。如果員工覺得自己不受重視，或是沒有參與感，他們就會到別的地方去。就像面對顧客一般，現在的企業也必須贏取員工的忠誠度。」

「你如何贏得員工的忠誠度呢？」泰莉問。

「讓他們帶著腦袋、而不只是帶著身體來工作。」南西說：「用羅的話來說，就是讓他們像老鷹一樣翱翔，而不要像鴨子一樣只會嘎嘎叫。要做到這點，經營者與主管必須要扮演『僕人』的角色，也就是成為『僕人領導者』。」

「僕人式的領導風格？」裘德說：「聽起來像是由囚犯來管理監獄一樣。」

「或是有點像宗教儀式。」泰莉說。

南西笑了起來：「要真正了解什麼是僕人領導哲學，你們必須先知道，領導可以分為兩個層面，分別是：願景面與執行面。願景面是指設定方向、價值，以及重大的經營計畫。這是僕人領導哲學的『引領』部分，我將其稱之為策略性領導，這是我的父親最擅長的部分。」

第十章
讓員工像老鷹般翱翔

「聽起來他應該是一個有大格局的人。」泰莉說。

「他的確是，」南西帶著微笑說：「而且從一開始時，就有一群經驗豐富的人跟著他，這些人會盡一切努力使他高興，並讓他想要的事情成真。他們是舊時代裡的典型員工——忠誠，並且願意做任何上級交辦的事。他們對公司全心奉獻，以藉此交換雇主的終身雇用。如果沒有這樣的員工，我的父親就麻煩了，但他不太注意執行面的事情。他只會設定目標，然後就期望他想要的事情真的可以發生。」

「你的意思是……？」裘德問。

「他會告訴員工這次的任務是什麼，但有時不免感到失望。」南西說：「他不斷地往前尋找下一個商機，如果他的員工可以完全了解要做些什麼的話，應該就沒問題。但事情不可能永遠這麼美好。有些時候，事情無法及時完成甚至出現了錯誤。當發生這種狀況時，他會兜個圈回來，並成為一隻海鷗，往海面俯衝、發出吵雜的聲音、大肆發洩在每個人身上，然後又飛了出去。不過由於我的父親對員工很好，所以員工們會收拾殘局並回到工作崗位上。」

「當我接下這個公司時，那些老員工大部分都已經退休，或是準備離開公司。對我來說，這是一個全新的賽局。所有人都知道，好的績效是從清楚的目標開始，不過，大部分人更感興趣的，是如何達成目標——也就是領導管理的操作層面。這時候就牽涉到僕人領導哲學的『服務』部分。」

「麻煩再多說明一點。」泰莉說。

「現代員工想要的，是經理人能和他們一起合作達成目標。他們想要的，是將他們視為夥伴的領導者。而這就是僕人領導者要做的事。」

「不過，」南西說：「大部分的公司——不管是大公司或小公司——通常都是從科層化的觀點思考領導體系，因此負責人、總經理或執行長才是做主的人，所有人的力氣都放在取悅上司上，這種現象就出現在我父親身上。就我的經驗來看，這種由上往下的領導模式並不能激發出員工最好的表現。」

「換言之，」裘德說：「『肩並肩』的領導模式比『由上往下』的領導模式更能創造出好的績效與滿意度。」

「對，」南西說：「抱持著這種肩並肩的夥伴關係後，領導人就會將焦點放在幫助員工產生好的結果上。當出現這種效應時，你的員工就會覺得自己是優秀的，而公司也能因此獲益。」

現在，南西的話真的引起裘德與泰莉的高度注意了。

* * *

「做為創業者，我們要如何同時兼顧績效與滿意度？」裘德問。

「鼓勵每位員工都成為領導者。那些能留住員工的創業者就是這樣做的。他們知道自己不可能親手做每一件事，因此必須靠員工來追求、經營與實現自己的夢想。當員工犯錯時，這些領導者會將其視為一個學習機會，而非處罰員工。」

「我看過很多創業者，他們的自我吞噬了自己的腦袋。」裘德說：「他們以為整個事業都是以他為核心。他們忘了員工的重要性。希望我永遠不會陷入這樣的陷阱。」

「這的確是一個很容易落入的陷阱，」南西說：「如果你的事業完全以你為核心，就不可能讓你的員工投身你的夢想。他們會視其它公司給的條件，進進出出你的公司。當你將員工視為夥伴時，他們才會開始將公司當成自己的事業。他們會為自己做的事負責任，而這才是你想要的。」

＊　＊　＊

「要如何讓員工成為你的夥伴？」裘德問。

「你必須建立一個好的績效管理系統。」南西說。

「『系統』這兩個字通常有負面的意涵。」裘德笑著說。

「你說的沒錯。」南西說：「大部分的創業者不認為自己需要一個系統來管理員工。不過就如同彼得·杜拉克常說的：『好事不是意外發生的。』我相信你們一定都有幾個總是記得你們生日的人。」

第十章
讓員工像老鷹般翱翔

裘德與泰莉都點頭了。

「這些都是心思周到的人。」南西說：「他們的心思為何能如此周到呢？那是因為他們是有組織與條理的。在你們的生日的幾個禮拜前，他們的系統就已經發出提醒訊號了。同樣的，你們也必須運用這樣的系統化思考來驅動員工的工作管理。」

「一個好的績效管理系統應包括哪些要素？」裘德問。

「有效的績效管理系統應包括三個部分，」南西說：「第一個部分是績效目標。你必須和你的員工取得共識，你們要認同一致的長短期目標，而且員工們應該將所有的心力都投注在這些目標上。好的績效就是從清楚的目標開始。」

「如果人們不知道要往哪裡走的話，就沒有機會抵達目的地。」泰莉帶著微笑說。

「這是一定的，」南西說：「在組織裡有太多的人，因為沒有做到主管認為他們應該做的事而受罰，但事實上，他們根本不知道要做這些事。」

「設定目標將有助於排除這種現象。」裘德說。

「的確有幫助，」南西說：「特別是當員工不只知道公司要他們做什麼，甚至還知道怎樣才是好的績效時——也就是績效標準是什麼——將會更有幫助。」

「夥伴關係是從績效目標設定開始的嗎？」裘德問。

「是的，」南西說：「不過要記住：在進行績效設定時，應該由負責人或經理人來設定，但如果主管與部屬對績效目標的設定有不同意見時，要聽誰的呢？」

「負責人或經理人，我想。」泰莉說。

「對，」南西回答：「因為負責人或經理人必須達成公司的長短期目標。這並不是指在目標設定時，不能讓員工參與，特別是有經驗的員工，而是指目標設定的責任是落在經理人身上。這是僕人式領導的『引領』部分。」

「好的績效管理系統的第二個構面是什麼？」裘德問。

「協助指導，」南西說：「要將原本金字塔式的科層領導架構翻轉過來，現在換成你要為員工服務了。」

第十章

讓員工像老鷹般翱翔

「為什麼要這樣做呢？」裘德問。

「身為經理人的你，應該要變成振奮人心的領導者，以及協助員工打造好績效的支持者。」南西說：「經理人所要扮演的角色，就是盡其所能幫助團隊成員獲致成功。這就是夥伴關係，同時也是僕人領導哲學中的『服務』部分。你要盡一切努力幫助員工像老鷹般展翅翱翔。」

「有效的績效管理系統的第三個構面是什麼？」裘德問。

「績效評量，」南西說：「在這個部分，主管應該和部屬一起坐下來，並逐一檢視每一位團隊成員在過去一段時間的績效表現。」

「以前我一直都很怕做績效評量面談，」裘德說：「即便我知道公司的執行長，也就是嘉納站在我這邊，我還是會怕。」

「大部分的人之所以害怕面對自己的績效面談，」南西說：「是因為他們從來都不太清楚評量是怎樣做的，因此他們只希望和上司有一個好關係，這樣一來，他們的評量結果應該就會不錯。」

「我的情況的確就是如此，」裘德說：「我還記得當年嘉納手上拿著一份寫著我的績效表現的表單。」

「哦，對了，那些表單，」南西說：「大部分的公司或組織都會告訴我：『你一定會愛上我們公司的新績效評量表單。』每當聽到這樣的話時，我就會發笑，因為我認為大部分的表單都可以丟了。」

「為什麼你會這樣認為呢？」泰莉問。

「因為這些表單所要評量的，通常是一些不知道要如何評量的東西。例如『主動性』或『願意承擔責任』。還有，『具備升遷潛力』？

「當沒有人知道如何填寫這些表單時，」南西接著說：「就只好將大部分的焦點放在上級的關愛上。就像裘德說的，如果你和上司的關係不錯，就很可能獲得好的評量結果。」

「這確實提醒了我，」裘德說：「我從來不知道嘉納是怎麼評量我的，除了業績之外，因為這個非常具體。」

第十章
讓員工像老鷹般翱翔

「這又回到績效目標了，裘德。」南西說：「還記得我之前提到：好的績效評量是以清楚的目標做為起點嗎？你必須設定績效標準。不管是什麼事情，如果你無法加以衡量，就無法管理。通常評量員工績效的準則，都是模糊不清的，他們甚至不知道怎樣才算是績效表現良好。有時候甚至沒有人清楚地告訴他們，主管所重視的是哪些部分。」

*　　*　　*

「不好意思，我想要回頭談一下目標設定。」泰莉說：「大部分組織的目標設定不是都做得很不錯嗎？」

「是的，他們確實做得很不錯。」南西回答：「但不幸的是，在設定了目標之後，你認為大部分的狀況會是如何？」

裘德笑了起來：「我能肯定地說，這些目標都被歸到檔案裡了。」

「你答對了，」南西說：「而且要等到做績效檢討時，才會有人把它們找出來看。」

「所以這些目標在一整年間，都沒有被積極地運用？」泰莉說。

「沒錯，它們沒有被好好運用。」南西說。

「為什麼？」裘德問。

「讓我用一個問題回答你，」南西說：「在有效的績效管理系統的三個構面中，你覺得經理人花最少時間的是哪一個？」

「我知道肯定不是績效評量。」

「我覺得是協助指導。」泰莉說。

「答對了，」南西說：「經理人花最少時間的，就是協助指導。但對於員工的績效管理來說，這確是最重要的一個構面。透過日常指導，才能向員工提出反映——包括讚美他們的進步，以及指正他們不正確的行為等。此時，經理人才會成為員工的夥伴，因為經理人會根據員工的目標與工作結果給予反映。」

「如果你想要員工成功並達到他們的目標，則在設定目標後，必須有人觀察

第十章
讓員工像老鷹般翱翔

與監看他們的行為。如此一來，當員工偏離原本設定的目標時，你才能指引正確的方向，同時當他們為公司創造利潤時，則能給予嘉獎及鼓勵。」

「這確實是很重要的東西。」裘德說。

「我很高興你也這樣認為，」南西說：「因為這絕對是一個關鍵。我想和你分享一個例子，就可以更清楚地說明這點了。我在大學時期有一位教授，他總是和校方處不好。紀律委員會一次又一次地調查他。而最讓紀律委員會抓狂的，是他竟然在一開學時，就先作期末考。當紀律委員會發現這件事時，他們就問：『你在幹什麼？』」

「他說：『老師的工作，不就是教導這些學生嗎?!』」

「紀律委員會說：『你是在教導學生，但你在還沒給學生時間學習前，就做了期末考。』」

「他說：『我不只要提前做期末考——你知道在這個學期中我還會教他們什麼呢？我要教他們答案，這樣一來，當真的到了期末考時，他們就能拿到A

了。你也知道，人生追求的，就是拿到A，而不是落在不起眼的常數分配曲線中。』」

「這個哲學真是太棒了。」裘德說。

「沒錯，」南西說：「他對我的領導觀點帶來很大的影響。你們兩個會找失敗者進公司嗎？你們會四處去說：『我們公司去年走了一些失敗者，所以讓我們再去找一些新的笨蛋來補這些職缺』嗎？」

「我們絕對不會。」泰莉說：「我們會去找成功者或潛在的成功者進來。所謂的潛在成功者，是指經過正確的教導後，這些人可以成為成功者。」

「所以你不會雇用那些落在常數分配曲線後端的人，是嗎？」南西問。

「當然不會。」泰莉說。

「所以你要小心，不要落入這樣的陷阱。」南西說：「**經理人通常認為他們的工作是評判、評量與批評員工；但經理人真正應該做的，是幫助、振奮與支持員工。**」

第十章
讓員工像老鷹般翱翔

「你的話我們聽懂了。」裘德說。

「提前作期末考和做績效規劃的意思是一樣的，」南西繼續說：「如此一來，員工就知道公司對他們真正的期望是什麼。協助指導要做的，就是幫助員工找答案。如果你看到某位員工做對了某件事，你就告訴他們『做得好』。如果他們做錯了事，你就說：『答錯囉！你認為正確的答案應該是什麼呢？』換句話說，就是指正他們。然後在績效考核期末時，再做一次和一開始時一模一樣的『考試』，就可以讓整個績效評量更有效率。」

「所以你的意思是指，在年度或半年度績效考核期末時，不應該有任何的意外出現？」泰莉問。

「這就是我的意思。」南西說。

「每個人都應該知道他們要面對怎樣的測試，而且在一整年裡，會有人提供幫助，以便讓他們得到高分。如果你以嚴格的評量系統做為績效考核工具，也就是有一定百分比的人必須走路，那麼你將會失去所有人的信任。但如果採取上面提到的做法，那麼員工唯一關心的，就只是如何成為第一名。」

「我喜歡你的哲學，南西。」裘德說：「你有看過任何公司真的使用這樣的系統嗎？」

「有的，」南西說：「而且是一位很棒的高階經理人，WD-40的總經理蓋瑞．里奇（Garry Ridge），他在公司導入的一個主要計畫就是『不要在我的表單上做記號——幫我拿到A（Don't Mark My Paper—Help Me Get an A）』，他非常重視這點及績效管理系統，因此當某位員工表現不好時，他解雇的是經理人，而不是員工。因為那位經理人沒有做任何的事，以幫助該名員工得到A。他希望每個人都知道：所謂的管理，就是建立一種幫員工得到A的夥伴關係。」

「如果你很努力地幫助某位員工，但他卻還是得不到A時，該怎麼辦呢？」泰莉問。

「那就不要給他們A，」南西說：「不過要確認的一點是：也許是因為他們並不適合做這個工作，那麼就必須做職涯規劃了。」

第十章
讓員工像老鷹般翱翔

「所以如果我們希望員工能像老鷹般翱翔並照顧好顧客，就必須建立一個讓員工可以成功的環境——在這個環境中，員工知道我們是和他們站在一起的——如果我們可以授權給員工，員工就會把公司當成自己的事業。」

「就是這樣，」南西說：「強調評判、批評與評量員工的管理模式，已經是過去式了。真正有效的領導模式，是以正確的方式對待員工，也就是提供員工所需的方向與鼓勵，藉此激發他們最好的表現。如果你能幫助員工獲得A，你的績效管理系統就能促使員工提供最佳的顧客服務。因為員工覺得自己是好的，並希望將這些好處傳達給其他人。」

「對剛起步的創業者來說，聽起來這樣做應該是值得的。」裘德說。

「當然是值得的，」南西說：「如果你能用對的方式對待員工，他們就會對自己的工作與你的企業懷抱熱情。在服務顧客時，他們的熱情自然也會流向顧客。你的顧客會感覺到這些熱情，並體驗到絕佳的服務感受，最後肯定會成為你公司的忠實客戶。忠實的顧客會向其他人提起你的公司有多好，並對你的員工表示讚賞。你的聲譽將會如野火燎原般迅速擴展！而這又能再度激勵你的員工。最後，熱情的員工與忠誠的客戶將為你的公司帶來真正的成功。這一切雖然是來自於願景與策略，但要達成目標與執行策略則有賴於夥伴關係的建立。」

「我們真的不知道要怎樣感謝你，」裘德說：「對於該如何對待員工，我們現在已經有很多想法了。」

一分鐘智慧

＊現代的工作者想要的是夥伴關係，而非上對下的科層階級。
＊應該激勵每個人使其成為領導者。
＊有效的績效管理系統不應只是對員工打分數與評等級，應該幫助員工獲致成功。

第十章
讓員工像老鷹般翱翔

*好的管理應該包括協助指導，亦即正確掌握員工的表現，並且在員工偏離目標時重新指引正確的方向。

*就如同人生一樣，工作所追求的，也是拿到A的高分。

*熱情的員工與忠誠的顧客，能為組織帶來成功。

第十一章

不斷膨脹的自我

時間又過了幾年，JTA持續成長。這幾年來，泰莉仍擔任總經理一職。不過隨著小孩日漸長大，學校與各種活動越來越多，很顯然的，泰莉的心力主要放在照顧伊莉莎白與艾利克斯上，對她來說，監督JTA的管理運作已成為一個令她暈頭轉向的挑戰。

「最重要的第一件事，」裘德與泰莉告訴彼此：「就是小孩，小孩比事業更重要。」他們都同意這點。於是泰莉決定卸下總經理一職，而且在一個月內，JTA就來了一位新總經理兼執行長，佛瑞斯特．奧克斯。佛瑞斯特已經在裘德及泰莉的公司擔任了好幾年的顧問，負責行銷JTA的產品與服務；最讓裘德與泰莉欣賞的，就是他的敏銳度。

琳達——他們的第一位員工，而且目前仍在ＪＴＡ擔任營運經理——以及好幾位策略聯盟講師，都對佛瑞斯特個人持保留意見。他們覺得佛瑞斯特是一個好的生意人，不過和裘德與泰莉的價值觀——誠信與互惠——並不相同，這也正是ＪＴＡ的創業精神。佛瑞斯特的焦點並非優先放在用對的方法做事，以及與員工、供應商及社群建立尊重與信賴感，而是放在裘德與泰莉排名第三的價值上：成功。他是一個只看「財務報表上的最後一個數字（獲利）」的人。不過，由於裘德與泰莉都覺得財務不是他們的強項，並認為ＪＴＡ的確需要強調獲利，因此，他們並沒有聽取這些人的意見。

＊　＊　＊

雖然多了一筆新營運長的人事費用，不過新帶進來的營業收入以及裘德的演講費的提升，比這筆新開銷要大得多。佛瑞斯特的焦點很清楚——成長、成長、成長——而且一切都在他的掌握之中。

第十一章
不斷膨脹的自我

裘德在一場於達拉斯舉行的研討會上發表演說，一位華爾街日報的記者就在聽眾席上。在聽完裘德充滿啟發性的「你想要學銷售嗎？」演說後，這位記者追到台下並進行採訪，打算寫一篇報導。他問裘德是如何成為一位專業的演說者，並深入訪談他的經營哲學。

當這篇報導見報後，好幾百通的電話湧了進來。很顯然的，裘德的訪談已經觸動了大眾的神經，並引起如潮水般湧來的正面反應。裘德在媒體曝光上的好表現直接轉化成ＪＴＡ業績的提升。公司的教育訓練課程與教材訂單呈現倍數成長，讓佛瑞斯特雀躍不已，而當訂單成長到超出ＪＴＡ的能力所能滿足的範圍時，佛瑞斯特不但沒有驚慌，反而更加使勁提升業績。

裘德開始忘了在事業起步初期，嘉納曾給過的建言：**保持謙虛的心態**。他開始對自己的高知名度沾沾自喜，並開始陷入佛瑞斯特的自我膨脹中。裘德覺得，沒有什麼事情是他做不到的。

結果，裘德的所有時間都用在演講路途上。他發現自己很難拒絕任何的演說邀約。裘德開始認為每個邀請演說或舉辦教育訓練研討會的要求，都是來自於對他個人的需要，在此同時，佛瑞斯特也不斷強化裘德的這種心態，讓裘德覺得自己的重要性是難以取代的；佛瑞斯特甚至要求客戶以豪華禮車接送裘德。

裘德是JTA的主要講師，不過佛瑞斯特也藉機巧妙地行銷JTA的其他講師，以及之前開發的學習教材，讓JTA逐漸變成一家比裘德與泰莉原本夢想更大的企業。

此時，裘德若不在演講的路上，就是在辦公室裡待很長的時間，和佛瑞斯特一起激盪出更多的火花。對於這位充滿野心的總經理來說，他的終極營運計畫是一定要達成的，問題只是時間的早晚而已。

「裘德，你和JTA已經成為教育訓練與學習發展界公認的領導者了，已經有好幾個人希望我們合併產業中其它幾家公司，然後上市。事實上，如果我們想要繼續成長，就需要更多的資金。如果我們現在就準備上市，公司就有很大的發展空間。你和泰莉可能需要用一輛推車來載這些錢了。」

第十一章
不斷膨脹的自我

這幅景象——加上當裘德想到在公司股票上市那天，自己站在華爾街交易大廳時，腎上腺素就開始作用——更加驅使裘德往佛瑞斯特所說的目標前進。

* * *

在艾利克斯與伊莉莎白還小時，裘德是一個模範父親。他總是有時間陪他們玩，而且他和泰莉看起來就是完美的父母親。事實上，他們這種將家庭生活與工作完美平衡的模式，讓許多人受到啟發；不過，當華爾街日報那篇報導曝光、再加上佛瑞斯特不斷催化裘德膨脹自我後，一切似乎都改變了。現在，對裘德來說，人生就是工作、工作與工作。

雖然裘德仍然深愛著泰莉與小孩，但陪他們的時間卻越來越少。這時艾利克斯與伊莉莎白都已經上學了，沒有多久，裘德甚少接觸他們的日常生活。沒時間和老師見面、沒時間看小孩的足球比賽，有時候甚至連慶生會都無法參加。裘德一次又一次地承諾要帶家人去度假，不過大部分休假時，他都覺得自己需要好好休息一下。

為了能有多一點時間陪陪泰莉，袤德承諾每個禮拜要挪出一個晚上的時間和泰莉「約會」。不過，這個承諾很快就變成一則笑話。袤德的失信與好幾個月都跳票的承諾讓泰莉不再相信他的話。在他們的婚姻之窗上，已經掛起了「真空狀態」的牌子，但袤德卻一直沒有注意到。

對袤德來說，利用搭飛機時間補充大部分的睡眠，已經是一種常態了。事實上，他有過一個禮拜必須到夏威夷演講兩次的紀錄，而且在兩次演講中間，還安排了到舊金山、丹佛與波士頓演講，那個禮拜的行程雖然為公司創造了許多營收，但卻讓袤德累得如一團爛泥。回到家之後，他倒頭大睡了二十個小時。

隔天早上，當袤德終於起床時，泰莉幫他倒了一杯咖啡。

「親愛的，這是我們的大好機會。」袤德說：「我們可以擁有曾經夢想過的一切。我們要打鐵趁熱、把握時機。」

「袤德，夠了，」泰莉說：「你不能一直這樣下去。而且老實說，我也厭倦

第十一章
不斷膨脹的自我

於當單親媽媽了，孩子們幾乎看不到你。」

「我知道，親愛的，不過現在我們的努力終於要獲得回報了，我不能就這樣讓機會從指縫中溜走。有耐心一點，我們的時代就要來了。」

泰莉不只擔心裘德，她也擔心JTA。由於孩子們都已經上國中了，所以她希望能再度參與公司事務。不過，JTA已經和以前不一樣了。第一個讓她感覺到公司已經改變的線索，是來自於琳達的辭職。琳達是公司最資深的員工，泰莉對她的辭職深感不解，於是打電話給她。琳達在電話中想試著說明，但一開口就哭了起來。

「我寫信給妳，」琳達說：「我現在太難過了，什麼都說不出來。」

當收到信後，泰莉坐下來慢慢地讀它：

親愛的泰莉：

很抱歉我無法在電話中和妳談，當時我的情緒真的失控了。從你們的創業夢想剛開始，我就參與其中，而現在我是如此的心傷，因為這個夢想正在死去。

佛瑞斯特是一個瘋狂的人，他滿腦子只想到業績、業績、業績，以及成長、成長、成長，而且他根本不在乎是怎樣達成目標的。

因為佛瑞斯特，員工對公司都不再有心了。他不關心任何人——他只關心數字。而最令人難過的是，他把裘德也變得跟他一樣。公司已經不再有我們剛創業時的價值觀了。我知道改變是無可避免的，但在佛瑞斯特的手中，JTA將走向災難。

泰莉，我知道聽到這些話會讓你不好受。不過我愛你、尊敬你，同時對於無法適切地向妳表達我的想法感到抱歉。

愛妳的　琳達

第十一章

不斷膨脹的自我

當泰莉把琳達的信拿給裘德看時，裘德只是不屑的說：

「這是因為公司的成長速度比琳達想像中的快。」裘德說。

泰莉感到無法置信——她似乎和一個陌生人生活在一起。裘德的眼光完全被名利攫住，而且不幸的是，他並沒有意識到物極必反，就算原本是好的，一旦太極端時，反而會變成壞事。泰莉試著要讓裘德和瓊斯、瑞德．歐洛克，或任何諮詢小組的成員談談，但裘德不斷地逃避。令人難以相信的，他竟然連瓊斯的電話都沒回。

公司的業績越好，裘德就越賣力地工作。他認為每個問題都是對他個人的挑戰。有了佛瑞斯特的推波助瀾，裘德成了一個對工作著了魔的人。

*　*　*

那天晚上，裘德過了九點後才回到家。泰莉獨自一人坐在廚房裡。

「嗨，親愛的，怎麼啦？」裘德問。

她直挺挺地坐了一會兒，然後看著裘德。

「裘德，我剛從伊莉莎白的獨舞發表會回來，自己一個人。而早上，我去參加艾利克斯的童子軍贈勳儀式，也是自己一個人。你知道艾利克斯昨天扭傷了腳踝，所以這個周末沒辦法踢足球嗎？還有你知道我妹妹懷疑乳房有腫瘤，要去做檢查嗎？哦，對了，你昨天錯過了我們的結婚周年紀念晚餐。」

「等一下，親愛的……」

「你才該等一下，」泰莉的聲音顫抖著說：「我一直都在等，但我已經累了。這不是我想要的婚姻生活。你必須盡快做出一些重改變，否則也許有一天你回家時，會發現整個房子空無一人。」說完這些話，泰莉從餐桌上站起身來，走向臥室，並無聲地關上房門。

裘德目瞪口呆地坐在那裡：「怎麼會發生這種事呢？」他大聲地問自己。

第十一章
不斷膨脹的自我

嘉納的警告——不要讓你的自我過度膨脹與失控——重回到裘德心中。裘德第一次意識到他可能贏得了戰場——幫公司上市——卻輸掉了戰爭——他的家庭。要承認這點並不容易，但突然之間，他知道自己的生活完全失去控制了。他沒有扮演好丈夫與父親的角色。當一意識到這件事時，他的腦海中立刻閃過了一個顯而易見的道理：**擁有成功的事業並不算是真正的成功，而是要擁有一個成功的人生。**

那一晚，當裘德爬進被窩裡時，他抱著泰莉並在她的耳邊輕聲地說：「親愛的，明天一大早我就會打電話給瓊斯。對不起，是我錯了。」

* * *

「你確實是，」當裘德將事情的整個來龍去脈告訴瓊斯後，瓊斯認同地說：「任何一個在辦公室裡花上十到十二個鐘頭的男人——還不包括上下班的交通時間，以及占用其它活動的時間——都算是偏離了正確的人生軌道。你必須取得更多的平衡。」

瓊斯暫停了一下，以便強調接下來的這段話：「裘德，你像一匹賽馬般不斷快跑，而且像一頭騾子般固執。如果你還不承認追求財富已經使你失控，那麼總有一天，你一定會回到一個空蕩蕩的家。多花一點時間和你的妻子與子女在一起，並且注意你的健康。你應該找回更平衡的人生。」

「怎樣才能找回平衡的人生？」裘德問。

「知名作家諾曼．文生．皮爾（Norman Vincent Peale）的妻子茹絲．皮爾（Ruth Peale）曾在幾年前寫過一本名為《永浴愛河的秘密（*Secrets of Staying in Love*）》的書，」瓊斯回答：「她在書中指出，如果你能設定正確的優先順序，就能擁有完整的婚姻生活，這個優先順序是：上帝、你的配偶、你的子女，最後才是你的工作。她之所以將愛配偶放在愛子女之前，是因為她認為最能讓子女感覺到你愛她們的方式，就是愛他們的母親——或父親。泰莉告訴我自從小孩們受洗之後，你就很積極地參與教會事務。你參加了一個男性支持團體，還在三年級

第十一章
不斷膨脹的自我

的假日班幫忙教課。現在這一切都怎樣了？」

「真的很不好意思，這些事都已成過去式了，」裘德回答：「我忙到沒有時間。」

「記得你高中時因為和『賽車手』尼爾森在一起而出事，後來你的父親原諒了你，是嗎？」

「他確實原諒了我。」裘德回答，想起了在牢房裡的那個晚上。

「上帝也會這樣做的，」瓊斯的聲音裡帶著笑意說：「我發現如果我每個早上能用一點時間告訴天父，我感謝哪些人、事、物，並和祂分享那一天所發生的、我認為有幫助的事，對我真的很有好處。當你把自我擋在前面時，就會把上帝也擋開了。」

「我明白你說的話了，」裘德說：「對於我和泰莉的關係，你有任何想法嗎？」

「當然有，」瓊斯說：「回家告訴泰莉，你以前是一個渾蛋，並請求她的原諒。然後兩個人一起打個電話給我。」

*　*　*

回家之後，「我知道你們最近真的經歷了很多事，」瓊斯說，裘德和泰莉在電話的另一端用免持聽筒的擴音器聽著：「而且你們兩個都很情緒化。我沒什麼建議可以給你們，不過有些事情要請你們想一想。你們兩個愛孩子們嗎？」

他們異口同聲地回答：「我們當然愛，瓊斯。」

「那麼你們就有解決問題的驅動力了。記住，**愛不是一種情緒，而是一個決定**。裘德，你希望你和泰莉的關係還繼續嗎？」

「我當然希望。」裘德說。

「妳呢，泰莉？」瓊斯問。

「我最近曾經有過離婚的想法，」泰莉說：「不過，裘德，我仍然把你視為我的丈夫與最好的朋友。」

第十一章
不斷膨脹的自我

「好，看來雙方都表示願意。」瓊斯說：「只有當雙方都願意繼續時，婚姻諮詢才幫得上忙。現在你們可以去找一位好的婚姻諮詢顧問，並承諾盡一切努力讓妳們的婚姻回到正確的軌道。」

這一次，瓊斯充滿了嚴肅的語氣。

* * *

有好幾分鐘，裘德與泰莉兩個人就這樣坐著，靜默無聲。當瓊斯的一字一句在他們的心裡引起迴響時，兩個人的手慢慢地握在一起。兩人都同意找婚姻諮詢顧問，並以嶄新的能量改善彼此的婚姻關係。

裘德也向泰莉坦承，他的工作與生活的確失去了平衡，同時，他也認知到他的經營理念、以及佛瑞斯特對推動公司上市的想法，都應該做一些改變。他同意打電話給瑞德．歐洛克以尋求協助。

一分鐘智慧

* 長期的成功不只是賺取眼前的數字。
* 當缺乏灌溉時，工作與家庭關係將會惡化。
* 物極必反，就算原本是好事，一旦太極端時，反而會變成壞的。
* 保持正確的優先順序。
* 平衡你的工作與生活。
* 不斷向你的人生導師尋求智慧。

第十二章
扭轉逆境

裘德撥了第一通電話就找到歐洛克。

「在我們見面之前，」歐洛克在聽完裘德打電話的來意後，堅持地說：「你必須先找外部稽核來稽查JTA的帳目，這樣我們才能確實知道你目前的現金狀況。對於佛瑞斯特的某些作為，我們都有點覺得不對勁。」

＊　＊　＊

在裘德告訴佛瑞斯特要做外部稽核時，他們兩人的關係開始變得緊張。財務一直不是裘德的強項，而且他也從不感興趣，他將這部分全部都交給佛瑞斯特處理。請外部稽核進公司查核帳目，等於在質疑佛瑞斯特所做的一切，佛瑞斯特一點都不喜歡這種感覺。當完成外部稽核，同時歐洛克建議將這份報告提出來再由裘德、泰莉、佛瑞斯特、璜與歐洛克共同參與的公開會議上討論時，裘德與佛瑞斯特的關係更降到了最低點。

這個會議一開始時，就充滿了緊張的氣氛。財務報表顯示，佛瑞斯特完全不顧後果地想把JTA推上市，以至於公司背負了不合理的負債，營收也沒有高於費用。

在檢視完這些數字後，璜把眼光轉向佛瑞斯特。佛瑞斯特努力讓眼睛看向遠處，但璜很有耐心地等待他轉回視線。當佛瑞斯特不得不正視他時，璜說：「如果這是一家上市公司，而我是這家公司的董事的話，我一定會要求你離開。」

聽完這段話，佛瑞斯特的情緒立刻失控。他開始對裘德與泰莉大聲咆哮，說他們太在乎錢並過於短視，然後就如一陣狂風暴雨般奪門而出。

當佛瑞斯特離開會議室後，泰莉握住了裘德的手。

「你剛剛在這裡看到與聽到的一切，讓我們只能有一個選擇，裘德。」泰莉說：「佛瑞斯特必須離開，我們必須回歸創業時的基本點。」

他們確實這樣做了。他們擬出了一個給佛瑞斯特的遣散方案，而JTA的諮詢小組成員也幫公司規劃出回歸正常軌道的策略。

隔天，裘德與泰莉召集了全公司的員工開會，向所有人宣布佛瑞斯特離職的消息。他們驚訝地發現當員工聽到佛瑞斯特離職時，士氣為之大振。很顯然的，琳達對佛瑞斯特的看法是對的，佛瑞斯特不僅沒有管好財務，也為員工帶來了困擾。佛瑞斯特離職的消息贏得了所有人的鼓掌叫好。

看見每個人都承諾願意為JTA的改變努力，裘德與泰莉做出了一個特別的宣布。

「公司的有些老員工應該知道，公司在創立初期曾有過現金流量問題。在當時，你們當中有許多人幫助公司扭轉局勢。就如同當時我們曾經做過的，現在我們也要成立工作小組，以檢視要如何提升業績與降低成本。不過這一次——當我們重上軌道，公司的財務也回到良好的狀態時——我們要帶大家到夏威夷好好慶祝。」

*　　*　　*

「如果你們是一家上市公司的話，肯定不能這樣做。」當瓊斯稍後聽到裘德與泰莉提到這個夏威夷旅遊計畫時，他笑著說：「想像一下，要向股東解釋帶員工去夏威夷旅行，是一件多麼麻煩的事。一旦上市後，就很難擁有這樣的自由——做你認為對員工最好的事，特別是當它必須花一大筆錢時。」

「現在我們懂了。」裘德說。

「對某些公司來說，當需要額外的資金以擴展並建立業務時，上市是一個明智的決定。不過對於像你們這種提供個人服務的公司來說，就未必適合了。」

「裘德，你應該打消讓公司上市的這個念頭。還有，泰莉，妳應該回來參與公司業務，並讓公司漸進地成長。JTA可以讓你們實現所有經營事業的夢想。

《當好人遇上壞事（*When Bad Things Happen to Good People*）》一書的作者盧比·

第十二章
扭轉逆境

庫希納（Rabbi Kushner）曾告訴我，在他擔任猶太教祭司的所有歲月中，他從未聽過將死的人說：『我希望我能花多一點時間在辦公室』，他說所有人臨終前想做的，都是希望能花更多時間陪伴他們所愛的人。」

「這的確發人深省，」裘德說：「還有呢？」

「有，」瓊斯說：「在做危機管理時不要操之過急，應該要有策略性的耐心。現在你已經回到正確的軌道上了。只要繼續做對的事，一定有成功的一天。」

裘德與泰莉感謝瓊斯所提供的建言。他們一致同意放下推動公司上市的念頭，並承諾讓公司漸進地成長。他們意識到不僅要監督公司的財務，還必須持續關心顧客以及取得員工的信心與信任。另外，他們也訂出了一個時間表，定期和歐洛克與璜討論財務問題，以及和羅與南西討論有關顧客與人員管理的問題。

在朝向正面發展的同時，裘德與泰莉想請傑瑞米．布里登（Jeremy Britton）加入公司擔任總經理。傑瑞米是裘德的老朋友——他們在高中時期一起踢足球——而且在他們的婚禮上擔任伴郎。泰莉對傑瑞米一直很欣賞，也很信任。他是一個既小心又可靠的人，而且在適當的時候不失好奇心與應變力。他曾經在餐飲旅館及保健業擔任成功的經理人，裘德與泰莉都覺得他應該很契合ＪＴＡ的文化。他們相信，傑瑞米的危機管理能力可以把他們帶上正確的軌道。

＊　　＊　　＊

在傑瑞米同意加入裘德與泰莉的團隊前，特地利用一些休假時間跑到ＪＴＡ和所有的員工一談，藉此了解前面可能面臨哪些挑戰。在訪談員工後，他和裘德夫婦一起坐下來討論他發現的事情。

「我相信你們兩個都知道，這家公司目前有兩個主要的問題，」傑瑞米對裘德與泰莉說：「首先，公司保留的現金過低而負債水準太高。這個狀況必須要加以改變；第二，在佛瑞斯特的管理之下員工士氣受損，你們必須花一點心力修補這個損害。不過，幸運的是，你們有穩定的營業收入，而且開始採取了若干解決問題的好策略。」

第十二章
扭轉逆境

「我們還有一條長路要走。」裘德說。

「不過，你們已經有一個好的開始，」傑瑞米帶著微笑說：「對於你們重新領導公司，員工都覺得很興奮。」

「不過我們還是要面對一些真正的挑戰。」裘德說。

「你是否願意幫我們面對這些挑戰呢？」泰莉問。

「你們的事業很吸引我——我知道你們提供的產品、服務與個人成長智慧，對很多人的人生與事業都很有幫助，而且我認為你們有很好的員工。你們兩位是我最想要共事的人。」傑瑞米說。

在說完這一席話後，裘德、泰莉與傑瑞米相互擁抱。

一分鐘智慧

*比起不顧後果地推動成長，耐心地執行穩固的經營策略是比較好的。

*錯的領導者會將你帶往你不該去的方向。

*在對的時間出現對的領導者，可以帶領一切邁向對的方向。

第十三章
整合

在接下來的幾年裡，裘德、泰利，再加上傑瑞米這位好友的鼎力相助，三個人齊心合力地落實從歐洛克與璜那裡學到的財務知識，以及從羅與南西那裡所學到的、有關提供與眾不同的服務，及幫助員工像老鷹般翱翔的寶貴建言。

對於裘德與泰利組織的工作小組所提出的各項建議，傑瑞米都執行得很好。而且，他不斷地強化一點：組織中的每個人都必須了解營業額必須超越費用，以及降低應收帳款是非常重要的。不過在此同時，他也意識到不能一味地縮減成本，而影響到組織的茁壯發展。所以他強調每個人在控管財務的同時，也必須將焦點放在營業額上。

傑瑞米要求每個人，不只是業務人員，都必須努力開發可以增加營收的新業績，而最讓每個人肯定的是，傑瑞米以身作則成為最佳的典範。

傑瑞米與一位大學時期的朋友麥特．羅斯（Matt Rhoads）聯繫時，為公司找到了一個新的收入來源。麥特是全國最大的食品服務公司ＬＪＦ的執行長。麥特把公司經營得很好，不過他意識到若要不斷保持競爭力，ＬＪＦ就必須更有創新性。傑瑞米發現這是一個雙方互利的機會，於是和麥特緊密合作，促成「ＬＪＦ大學」的成立。

ＬＪＦ大學的課程是透過該公司的企業網站教授，課程的重點主要放在內部創新（Intrepreneurship）上。課程設計的方向，是期望藉此激發ＬＪＦ的員工自發性地提出新計畫，並爭取其他人的認同與參與。從本質上來看，這就是一種鼓勵在企業內部發揮創新與創業思維的做法。該課程主要植基於以下幾個原則：

1. 企業必須不斷地創新。如果不創新，企業就會因循苟且，並會因此而藏汙納垢與失去競爭優勢。

第十三章
整合

2. 企業若要成長茁壯，就必須開啟團隊成員的個人創意。
3. 提出的任何計畫都必須獲得團隊成員的支持與參與，才能獲致成功。
4. 如果企業希望員工能具備內部創新的思維，就必須讓員工知道企業的流程與願景——以及這些流程與願景對獲利或虧損的影響。
5. 領導者必須給團隊成員所需的一切，以幫助他們自我激勵並規劃邁向成功之路。
6. 企業必須獎勵員工的創意。
7. 當團隊成員提出某個計畫時，他應該要負責有關該計畫成敗的所有一切。
8. 企業必須鼓勵跳出框架與充分運用資源的思維。
9. 所有思想領導者都必須不斷將焦點放在顧客需求，以及如何滿足與超越這些需求上。
10. 領導者與經理人必須致力於擴大團隊成員在所有計畫中的參與，已開啟團隊的集體智慧。

當傑瑞米將這些指導原則拿給麥特看時，他鼓勵麥特可以組成一個工作小組，將公司內最具前瞻思維的四到五位經理人集結在一起，請他們針對每一個點做更深入的思考，以確認每一個原則都適用於ＬＪＦ。

「只要你讓重要員工有機會自己開創事物，他們就會以最大的毅力與決心加以投入。」傑瑞米說。

這個計畫成功了。ＬＪＦ成為最創新的食品服務業者，並且開始呈現跳躍式的成長。麥特將營業額與獲利的提升，歸功於ＪＴＡ為該公司提出的計畫，以及他與傑瑞米緊密的合作關係。當然，ＪＴＡ也隨之成長——而且是大幅的成長。

為了保持成果與關係能平衡發展，ＪＴＡ發展出一個名為「I CARE」的卓越服務計畫：

I：理想的服務（Ideal Service）

C：服務的文化（Culture of Service）

A：用心（Attentiveness）

R：回應（Responsiveness）

E：賦予員工權利（Empowerment）

當JTA每個部門都再次承諾要掌握與顧客的關鍵時刻，並達成其顧客服務願景時，「I CARE」計畫就開始啟動。

* * *

為了要強化服務的文化，以便提升每個人的用心度與回應度，裘德、泰莉與傑瑞米決定拿掉行之多年的「每月員工方案（Employee of the Month Program）」，取而代之的，則是「關鍵時刻員工方案（Employee of the Moment Program）」。任何時候，只要有顧客發現——不論是外部顧客或內部顧客——

某位員工提供比工作標準更高的服務，就會立刻予以獎勵與慶祝。同事會準備好相機拍下這些如老鷹般展翅高飛的員工英姿，公司還打造了一面名人牆（Wall of Fame），展示那些讓顧客為之瘋狂的員工的照片與故事。至於一個人能出現在名人牆上幾次，是完全沒有限制的。

為了幫助員工像老鷹般飛翔，JTA的績效管理系統轉型為夥伴績效系統。公司會教導每位經理人基本的指導要素，如此一來，經理人才能設定清楚的目標與績效標準、讚美員工的進步，以及重新指導正確的方向。走動式管理成為一種模式。除此之外，公司要求經理人應該每兩個禮拜，就和每一位部屬進行一對一的面談。這些面談大約只需要十五到三十分鐘，但部屬可以在面談中向主管報告進度並提出需要哪些額外的幫助。這種做法可以確保夥伴雙方——主管與部屬——掌握最新的狀況。

這樣做的結果是：到年度績效考核時，不會出現什麼新的意外。年終績效討論只是用來檢視一遍夥伴——主管與部屬——做過的所有事情，而這些事情在過去的一年裡都已經談過了。每個夥伴關係的目標都是授權員工解決問題，而不是讓部屬等待上司告訴他們該做些什麼。

*　　*　　*

第十三章
整合

上述的這些理念花了好幾年的時間落實執行，它們不只產出了很好的財務結果，同時還打造出令其它公司羨慕不已的工作環境。當裘德與泰莉看著年底的數字時，他們心中都有同樣的想法。

「還記得三年前我們曾經說過，當從財務黑洞中脫身而出後，要帶所有員工去夏威夷嗎？」裘德說：「我認為時候到了。」

「我同意！」泰莉說。

傑瑞米也同意這個想法，於是整個計畫就此定案。隔年二月，所有JTA的同仁一起到夏威夷的茂宜島（Muai）度過了四天的假期，慶祝公司扭轉劣勢。在離開夏威夷前的一個晚上，公司請了當地的一個樂團在惜別晚宴上表演，每個人都打著赤腳在沙灘上跳舞。在晚會要結束時，團長站在舞台上看著台下這群充滿活力的人，驚訝地說：「我不知道你們這些人是做什麼的，不過保持下去吧！你們的工作一定是很棒的事！」

＊　＊　＊

和JTA的同仁一起踏上歸程後，裘德與泰莉一起去拜訪瓊斯。

瓊斯說：「在經歷財務危機的這段期間，你們應該學到了和銀行維持良好關係是多麼重要的一件事。」

「確實是，」裘德說：「扭轉困境後我們確實比較好睡，因為我們所有的錢都綁在公司上。」

「還有一件事情救了你們兩個人，就是你們沒有染上令許多人備感折磨的『我要』惡習，」瓊斯說：「這些人花太多的錢買生活風格，以至於他們的財產淨值呈現很小的成長。所以，一定要注意你們的『生活風格成本』。」

第十三章
整合

「要做到這點的最好方式是什麼？」泰莉問。

「做計畫，」瓊斯說：「我剛結婚時，牧師告訴我，每個月將收入的十%存到一個儲蓄帳戶，另外將十%捐做慈善或捐給其它的非營利組織。他說如果我們能學會靠七〇%到八〇%的收入過活，有一天就會變得富有。」

「所以你相信『十一奉獻（註：將十分之一的收入捐獻給教會或做慈善用途）』？」裘德說。

「確實，」瓊斯說：「我們那個年代最偉大的財務投資大師約翰．敦普頓爵士（Sir John Templeton）曾給過的、最好的財務建言，就是十一奉獻。他認為不要等到你有足夠的錢、什麼都不缺時才做十一奉獻。不管你的收入有多低，都應該把它變成一種每月都做的習慣。」

「敦普頓說，他從沒見過有人在持續做了十年的十一奉獻後，」瓊斯繼續說：「他們的付出沒有得到十倍以上的回報。當你願意伸出手幫助別人時，一定能得到更多的回報。」

「你可以告訴我們幾個案例嗎？」裘德問。

「沒問題。我第一個想到的，就是知名的創業家與作家保羅．梅爾（Paul Meyer）和他的妻子珍。他們撥出約收入的七〇％。當然，並不是從一開始就這麼多。在他們思考過接下來的人生需要有多少錢——加上他們想要留給子女與孫子的錢——並決定數目後，就承諾要將多出來的錢捐出來做善事。一開始時，他們大概撥出十五％到二〇％左右的收入，不過現在大約已經到七〇％了，因為所有因此賺回來的錢已超過他們本身的需要。」

「聽起來真好。」泰莉說。

「你建議我們把錢捐出來嗎？」裘德問。

「這是你自己的決定，」瓊斯帶著微笑說：「記住，這是無價的建言。不過這點倒是和我從雪爾登．包樂斯那裡學到的最後一件事有關。」

「我記得雪爾登鼓勵創業者要做自己有熱情的事，並且要找到有人願意為你

第十三章
整合

的熱情付錢。如果你做的不是你愛的事，就不可能盡最大的努力做到最好。」裘德說：「而且如果沒有人願意付錢讓你去做你最愛的事，那麼你擁有的，就只是一個嗜好，而不是一個事業。」

「而且不要忘了，要為你的熱情加值。」

「沒錯，」裘德說：「你必須找出新的收入來源，才能讓你的熱情繼續成長。」

「你把這幾件事都做得很好，包括你的個人與你的組織，」瓊斯說：「你有許多熱愛工作的員工，而且他們在做這些事情時可以得到報酬。另外，你非常有創意且運用各種資源找出新的收入來源，讓你的演講事業可以有更多的成長空間。」

「謝謝你的肯定，」裘德帶著微笑說：「不過，你從雪爾登那裡學到的最後一件事究竟是什麼？」

「就是：將你的熱情的豐盛成果傳遞下去，雪爾登將此稱之為永久成果檢驗——如果你不幫助別人，就不可能獲得真正的成功。幫助別人的意思，不只是指從你的豐盛成果中撥出金錢，還包括分享你的時間與才能。指引其他人正確地行走在人生道路上，也是一種傳遞成果的方式。」

*　　*　　*

這段談話讓裘德覺得他的人生已經形成一個完整的圓。從一個甫出大學校門、懷抱著許多夢想的一文不名的年輕小伙子，到如今成為一位成功的創業家，雖然在某些方面還算不上圓滿。這段對話讓他想到生命的脆弱與無常，更重要的，是想到要如何留下一些可以為他人帶來正面影響的東西。

瓊斯注意到裘德臉上流露出若有所思的表情，於是問：「你心裡在想些什麼？」

「我在想，泰莉和我應該留下什麼東西給世人。」

「你提到的這點很有意思，」瓊斯說：「鮑伯．班福德（Bob Buford）在其所

第十三章
整合

著的《人生下半場（*Halftime*）》一書中，指出在人生的某個時點，我們都會想要進一步將成功化為成就——從收穫到付出。我認為這就是想為這個世界留下什麼東西吧。」

「我和泰莉現在就正好走到人生的這個點。」裘德說。

「每個人都會留下一些東西，」瓊斯說：「不管是有意或無意留下的。你今天所做的或擁有的每件事物，不論是好是壞，都會傳給在你之後的人——不只是金錢財富，還包括你的信念與哲學。你過什麼樣的生活，就會留下什麼樣的東西。」

「我和泰莉如何留下美好的事物？」裘德問。

瓊斯說：「財富不是一塊固定的、每一份只能分多少的餅；只要你提供別人美好的事物與服務，這塊餅就會不斷變大。在這個過程中，你將會增加既有事物的價值，或是創造新的價值。當你幫助其他人發揮他們的潛能時，就能將馬車變成噴射機！結果是這塊餅會越來越大，而其中有幾塊會回到你這裡。就像我之前提到的，當你伸出手幫助別人時，通常能得到更多的回報。付出會讓人越來越富足，而不會使人匱乏。」

* * *

與瓊斯的一席話，讓裘德與泰莉將焦點放在「付出」上，並體現在公司的兩個作法上。第一個作法是：他們啟動了一個獲利分享計畫。他們每年提撥十％的獲利分給所有的員工。公司會向員工公布每個月的資產負債表，如此一來，所有員工都知道公司做得好不好，以及每個人可以因此而分到多少。

除此之外，裘德與泰莉還撥出十％的獲利給員工，讓員工可以運用這筆錢去做自己選擇的慈善工作。唯一的要求是這些慈善工作必須符合稅法規定，而且必須捐給特定的專案，不能捐給一般基金。這種做法可以確保員工真正參與他們所關注的慈善工作。

另外，他們還成立了一個非營利團體「JTA for Others（JTA為人人）」，員工可以每個月直接從薪水扣一筆錢捐款，同時該團體還有各種不同的基金籌募活動。「JTA for Others」所參與的慈善工作是由員工選出來的，捐款範圍包括：颶風賑災、環境保育、幫助有需要的人、提供陷入財務困境者醫療協助，另外還有旅行費用，幫助有需要的員工探望生病的、受傷的，或陷入困境的親朋好友。

公司還給人力資源主管一筆名為「天使基金（Angel Fund）」的款項，當發現員工有需要時，就可以予以支應與協助。當有人受創並需要愛與祈禱時，不管在世界哪個角落，裘德都會在語音信箱中留言。從許多面向來看，JTA真的成為一個有如大家庭的組織。

一分鐘智慧

＊要過一個快樂與圓滿的人生，應該大方地付出你的財富、時間與才能。
＊施比受更有回報。
＊每個人都會留下某些東西。不過應該留下正面的、不同的東西。
＊幫助或原諒他人可以得到超出預期的好處。

第十四章 傳承

裘德與泰莉發現瓊斯是對的。當你給別人越多時，你所得到的回報就越多。

JTA持續地成長與茁壯，並獲選為最想進入其中工作的企業之一，而且，在這個過程中，裘德與泰莉的一雙子女，艾利克斯與伊莉莎白，也對公司經營產生了興趣。此時的艾利克斯與伊莉莎白都已經長大成人，兩人都從大學畢業並進入職場。艾利克斯就讀旅館學校，畢業後就進入觀光餐飲產業服務，伊莉莎白一直都很喜歡時尚流行，因此進入零售服裝業工作。

裘德與泰莉他們兩人注意到一對子女可能對加入公司感興趣，因此決定召開一個家庭會議。與會的人包括艾利克斯與伊莉莎白，還有傑瑞米，他現在已經變成這個家庭中的一員，擔任公司的總經理與營運長。他們還請了一位顧問吉米·

艾德（Jim Elder），他是家族企業的經營顧問，在這個領域已超過二十年，他每一季至少會撥出一天和他們會談。

吉米開始和家庭會議中的五個人面談。最後，他找來了裘德與泰莉。

「我想要問你們一個問題，這是身為家族企業創辦人的你們最難回答的一個問題。你們是否希望艾利克斯、伊莉莎白與傑瑞米成為公司股權的持有人之一，不論他們是否曾在公司裡工作過？」

「為什麼會這樣問？」裘德問。

「因為在我看過的家族企業中，這是最大的問題之一。家族成員與親密友人在組織中接掌了他們其實並不勝任的工作，只是為了要維護他們的所有權，但所有權與專業經理人應該是分開的。如果傑瑞米、艾利克斯與伊莉莎白變成公司的所有人，那麼不管是否參與公司事務，他們都可履行股東的權利。如果艾利克斯與伊莉莎白決定接掌管理職位，則在他們擁有的股份之外，公司還應該根據他們承擔的職責支付符合市場水準的新資。這種做法可以讓每個人都將焦點放在如何

第十四章
傳承

對組織的成功做出最大的貢獻。不管他們做些什麼，即便完全沒有參與公司的經營，他們的所有權也受到了保護。」

這正是裘德與泰莉決定要做的。他們移轉了二十％的股權給艾利克斯與伊莉莎白，另外把十％給傑瑞米。但後來每個人都認為傑瑞米是一個長期的夥伴，應該要跟他們擁有一樣多的股權，於是，最後這五位成員各自擁有二十％的股權。

有其父必有其子，艾利克斯像極了父親，也成為出色的演說家與激勵大師，伊莉莎白則像母親，比較適合從事營運面的工作，她很快就成為銷售部的主管。

* * *

時光繼續流逝，這一天，他們開心的做著最喜歡的事之一：照顧孫子凱文，沒有特別張揚地慶祝他們結婚四十周年的紀念日。整個下午他們就坐在火爐前的扶手椅中，看著凱文在他們的腳前玩堆積木。一面回想過去的四十年，一面談起他們共同經歷的創業之旅。

「我們很幸運，」裘德說：「如果沒有那些在我們的人生中扮演重要角色的指引者，我們就不可能會成功。」

「你說的對。」泰莉說。

「記得我的高中同學，賽車手尼爾森嗎？每當我想起這件事時，都覺得應該感謝他為我的人生帶來一個正面的扭轉契機。」裘德笑著說：「當我在他的車上發現大麻並被逮到時，我真的認為世界末日到了。現在回想起來，我很高興發生了這件事，因為我從中學到了許多事情。它改變了我的人生。從某個方面來說，尼爾森是我的第一個人生導師。」

「我投嘉納一票，」泰莉說：「畢竟是他開啟了你的演說與業務生涯。」

「他當然是我的人生導師，」裘德說：「不過最棒的人生導師，就是一直都很大方慷慨的、一直那麼可親的瓊斯，是他促成了我們兩個。他總是能在對的時間給對的建言。」

他們繼續細數著那些對他們的創業生涯帶來最多改變的人。他們都認同不能

第十四章 傳承

忘了瓊斯的朋友，哈瑞斯．帕瑪，因為他給了最基本的建言，指引他們走過每一個經營決策。他的建言是：

＊銷售額一定要高於費用。
＊回收你的帳款。
＊關心你的顧客。
＊關心你的員工。

他們覺得很幸運，因為歐洛克與璜讓他們知道，現金、現金、現金是多麼重要。他們還想起了羅教導他們，與眾不同的服務是從選擇重視「關鍵時刻」開始，而後來他們又接著發展出「I CARE」計畫。他們談到了南西的觀念：員工不是你的部屬，而是你的夥伴，而且如果你不打造一個可以讓員工帶著腦袋來上班、自己承擔責任，並像老鷹般飛翔的環境，就不能期望員工會照顧好你的顧客。

在他們檢視過去所學到的一切的同時，也承諾要繼續指引艾利克斯與伊莉莎白，並伸出觸角協助其他勇於實現夢想的年輕人。他們分享自己的熱情，鼓勵那些願意踏出腳步、承擔風險的創業者。

「這並不是一件容易的事，」裘德說：「不過卻是很重要的，就是要讓人們知道創業並不是一蹴可幾的，而是要一步步邁向成功。」

「沒錯，確實如此，」泰莉說：「瓊斯是對的，他告訴我們要以策略性的耐心處理危機管理。」

「是的，」裘德說：「只要我們正在做對的事情，只要一直做下去，不用躁進，有一天一定會成功。」

「時間過得很快，有時候覺得好幾年其實就像一瞬間而已！」泰莉帶著笑意回想。

「是啊，」裘德說：「不過，羅馬不是一天造成的，成功的企業也是如此。」

「就這個方面來看，成功的婚姻也是這樣的。」泰莉慧黠地加了一句。

裘德笑出聲來，他從椅子中站起身來，並給了妻子一個親吻。他們的孫子抬頭看著兩人並發出叫聲。在他們剛剛說話的那幾分鐘，他已經疊起了一個高得令人驚訝的積木堆。

「看啊，」泰莉指著孫子的作品說：「他已經打造出這麼高的東西了。」

「給他二十年的時間，也許他會成為一位非常棒的創業家，打造他自己的成功企業。」裘德驕傲地說。

泰莉對著孫子微笑說：「做得好，凱文。繼續往上堆，不要急，一次堆一塊！」

國家圖書館出版品預行編目資料

一分鐘創業家／肯・布蘭查（Ken Blanchard）、唐・哈森（Don Hutson）、伊森・威利斯（Ethan Willis）著，丁惠民譯 --初版. --臺北市：商周出版：家庭傳媒城邦分公司發行, 2010.2
面； 公分. --（新商業周刊叢書：BW0352）
譯自：The One Minute Entrepreneur™：The Secret to Creating and Sustaining a Successful Business
ISBN 978-986-6285-10-3（平裝）
1. 創業 2. 企業管理
494.1 98024174

新商業周刊叢書 **BW0352**

一分鐘創業家

原著書名／The One Minute Entrepreneur™
作　　者／肯・布蘭查（Ken Blanchard）、唐・哈森（Don Hutson）、伊森・威利斯（Ethan Willis）
譯　　者／丁惠民
選 書 人／吳依瑋
責任編輯／吳依瑋
校　　對／吳淑芳
版　　權／黃淑敏
封面設計／劉林

副總編輯／陳美靜
總 經 理／彭之琬
發 行 人／何飛鵬
法律顧問／台英國際商務法律事務所　羅明通律師
出　　版／商周出版　城邦文化事業股份有限公司
台北市中山區民生東路二段141號9樓
電話：（02）2500-7008　傳真：（02）2500-7759
E-mail：bwp.service@cite.com.tw
發　　行／英屬蓋曼群島商家庭傳媒股份有限公司　城邦分公司
台北市中山區民生東路二段141號2樓
電話：（02）2500-0888　傳真：（02）2500-1938
讀者服務專線：0800-020-299
24小時傳真服務：（02）2517-0999
讀者服務信箱：service@readingclub.com.tw
劃撥帳號：19833503
戶名：英屬蓋曼群島商家庭傳媒股份有限公司　城邦分公司
訂購服務／書虫股份有限公司客服專線：（02）2500-7718；2500-7719
24小時傳真專線：（02）2500-1990；2500-1991
服務時間：週一至週五上午09:30-12:00；下午13:30-17:00
劃撥帳號：19863813　戶名：書虫股份有限公司
香港發行所／城邦（香港）出版集團有限公司
香港 灣仔 軒尼詩道235號3樓
電話：（852）2508-6231或2508-6217　傳真：（852）2578-9337
E-mail：hkcite@biznetvigator.com
馬新發行所／城邦（馬新）出版集團
Cite（M）Sdn. Bhd.（45837ZU）
11, Jalan 30D／146, Desa Tasik, Sungai Besi, 57000 Kuala Lumpur, Malaysia.
電話：（603）90563833　傳真：（603）90562833
E-mail：citekl@cite.com.tw

版型設計／黃淑華
印　　刷／鴻霖印刷傳媒股份有限公司
總 經 銷／聯合發行股份有限公司　電話：（02）2917-8022　傳真：（02）2915-6275

行政院新聞局北市業字第913號
■ 2010年 2月初版

Printed in Taiwan
城邦讀書花園
www.cite.com.tw

ISBN 978-986-6285-10-3　　定價250元

廣　告　回　函
北區郵政管理登記證
台北廣字第000791號
郵資已付，免貼郵票

104台北市民生東路二段 141 號 2 樓

英屬蓋曼群島商家庭傳媒股份有限公司

城邦分公司

請沿虛線對摺，謝謝！

書號：BW0352	書名：一分鐘創業家	編碼：

商周出版

讀者回函卡

謝謝您購買我們出版的書籍！請費心填寫此回函卡，我們將不定期寄上城邦集團最新的出版訊息。

姓名：＿＿＿＿＿＿＿＿＿＿＿＿＿＿ 性別：□男 □女

生日：西元＿＿＿＿＿年＿＿＿＿＿月＿＿＿＿＿日

地址：＿＿＿＿＿＿＿＿＿＿＿＿＿＿＿＿＿＿＿＿

聯絡電話：＿＿＿＿＿＿＿＿＿ 傳真：＿＿＿＿＿＿＿＿＿

E-mail：＿＿＿＿＿＿＿＿＿＿＿＿＿＿＿＿＿＿＿＿

學歷：□1.小學 □2.國中 □3.高中 □4.大專 □5.研究所以上

職業：□1.學生 □2.軍公教 □3.服務 □4.金融 □5.製造 □6.資訊

□7.傳播 □8.自由業 □9.農漁牧 □10.家管 □11.退休

□12.其他＿＿＿＿＿＿＿＿＿＿＿＿＿＿＿＿

您從何種方式得知本書消息？

□1.書店 □2.網路 □3.報紙 □4.雜誌 □5.廣播 □6.電視

□7.親友推薦 □8.其他＿＿＿＿＿＿＿＿＿＿＿＿＿＿

您通常以何種方式購書？

□1.書店 □2.網路 □3.傳真訂購 □4.郵局劃撥 □5.其他＿＿＿＿

您喜歡閱讀哪些類別的書籍？

□1.財經商業 □2.自然科學 □3.歷史 □4.法律 □5.文學

□6.休閒旅遊 □7.小說 □8.人物傳記 □9.生活、勵志 □10.其他

對我們的建議：＿＿＿＿＿＿＿＿＿＿＿＿＿＿＿＿＿＿＿＿

＿＿＿＿＿＿＿＿＿＿＿＿＿＿＿＿＿＿＿＿

＿＿＿＿＿＿＿＿＿＿＿＿＿＿＿＿＿＿＿＿

＿＿＿＿＿＿＿＿＿＿＿＿＿＿＿＿＿＿＿＿

＿＿＿＿＿＿＿＿＿＿＿＿＿＿＿＿＿＿＿＿